LES VILLAGES DE DIEU

L'image de couverture est une photo de l'artiste Mallory Lowe Mpoka.

Emmelie Prophète

LES VILLAGES DE DIEU

MÉMOIRE D'ENCRIER

Dehors, le vacarme habituel. Mon corps comptait des traversées imaginaires. Je n'avais que le présent et des histoires sans commencement. Tout était sombre. Mon sommeil sec, juste utile. Je ne me reposais ni ne rêvais. Juste une courte transition entre deux blessures.

Cet homme venait depuis cinq jours. Il frappait discrètement. Toujours à la même heure. Dix-huit heures trente. Il était gros, semblait timide, portait une chemise à rayures, comme celles que fabriquait le tailleur de la rue Ficelle. Son pantalon lui arrivait au-dessus des fesses, l'entrejambe trop court, ou son ventre trop gros, l'empêchait de le remonter jusqu'à la ceinture. Ses chaussures avaient des semelles épaisses en caoutchouc. Elles étaient propres, bien lustrées. Il portait les mêmes vêtements chaque fois que je le voyais. Son eau de toilette sentait très fort, restait imprégnée dans le drap et l'oreiller.

Je n'avais jamais envie de lui parler. Il souriait quand nos regards se croisaient. Moi pas. Je n'avais jamais encouragé de conversation. Je sentais qu'il voulait bien, lui.

Il se déshabillait timidement, lentement, gêné par son physique. Il était en vérité laid. Court sur pattes, son ventre paraissait plus gros quand il enlevait sa chemise. Il flottait un peu dans son slip blanc abîmé par les lavages. Il devait avoir une mère ou une femme obsédée par la lessive, soucieuse des vêtements blancs, comme le fut ma grand-mère. Elle pouvait laisser de vieilles chemisettes et des chaussettes plusieurs jours dans une cuvette d'eau chlorée pour leur restituer leur blancheur et n'était presque jamais satisfaite du résultat.

Il était lourd sur moi, me faisait mal. Il ne gémissait pas, ne disait rien, jouissait en se raidissant, ce qui le rendait encore plus lourd. Il se rhabillait tout de suite, me tendait mille gourdes, le double de ce que je demandais, enveloppées dans un bout de papier. J'appréciais la délicatesse. Je ne comptais plus. Il avait comme un crédit dans la maison. Je le croyais incapable d'être malhonnête. Une intuition. Comme ça.

Il n'en venait pas beaucoup, de clients. Je passais mon temps assise sur la chaise à bascule qui avait appartenu à Grand Ma, à tripoter mon portable, surfant sur Facebook. J'étais très présente sur les réseaux sociaux. Plein de gens paraissaient attentifs à ce que je postais, prenaient le temps de commenter, se donnaient la peine de ne pas être d'accord, et même de se fâcher contre moi.

Je n'avais pas peur. J'étais habituée au bruit des armes. J'ai grandi dans cette cité où jamais il n'y avait eu de trêves, où la mort circulait à midi comme à minuit. Grand Ma était morte il y a neuf mois, de peur. C'était un soir particulièrement difficile d'un dimanche qui avait calmement commencé, jusqu'à ce que la rumeur circule que des gars du gang de Makenson avaient sifflé sur le passage de la copine d'un des membres influents de celui de Freddy alors qu'elle revenait de l'église. Les deux gangs qui faisaient la loi dans la Cité n'étaient jamais à court de provocations mutuelles, mais il n'y avait jamais eu, jusqu'à ce dimanche soir, d'affrontement direct. Je me rappellerai toujours les yeux exorbités de ma grand-mère, ses mains qui serraient fort mon poignet, et moi qui criais : « Grand Ma, tu me fais mal ! » Elle avait dit dans un râle : « Cécé, Célia, mon enfant, *pitit mwen*, Cécé, je sens que mon cœur va exploser, je vais mourir. »

Je dormais dans le même lit que Grand Ma. Depuis toujours. J'ai su tout de suite qu'elle était morte. Elle était devenue raide. Froide. Je ne pouvais pas, comme je l'avais toujours fait, mettre ma jambe droite sur elle pour m'endormir. Je m'étais mise à lui parler, je ne me souviens pas très bien de ce que j'ai dit, sauf des prières qu'elle m'avait apprises. Je ne pouvais pas entendre le son de ma voix. Ça tirait de partout avec des armes automatiques, et le tintamarre s'était poursuivi jusqu'à l'aube.

J'étais allée réveiller Tonton Frédo. Le bruit que j'avais fait pour ouvrir la porte en bois en cassant presque la targette ne l'avait pas réveillé. Il était complètement saoul, comme d'habitude. Je n'étais pas parvenue à le faire sortir de son sommeil. Je suis allée frapper chez Voisine Soline. Elle avait accepté de me suivre. Elle me bousculait presque pour me faire avancer plus vite. Pour elle je n'étais qu'une menteuse. Comment avais-je pu prétendre que Grand Ma était morte alors qu'elles étaient à la messe ensemble hier matin et qu'elle allait très bien !

Elle avait hésité sur le pas de la porte. Ses gros seins flottant dans une chemise de nuit à fleurs. Comme toute la Cité, elle n'avait pas dormi. Ses yeux étaient cernés. Elle avait enjambé d'un pas décidé le petit muret de dix centimètres que Grand Ma avait fait dresser entre la petite galerie et la chambre, où l'on accédait directement, afin que l'eau ne rentre plus dans la maison quand il pleuvait.

— Elle est vraiment morte, avais-je réussi à balbutier alors que nous entrions dans la pièce.

— Tais-toi, petite, avait-elle répondu en ouvrant grand les yeux.

Christa, Christa, avait-elle dit avec vigueur en touchant le front et le cou de Grand Ma avant de lâcher un cri. Des larmes coulaient sur ses joues rondes. Je m'étais mise à pleurer aussi et commençais à pousser des cris comme cela se faisait quand quelqu'un décédait dans la Cité. Voisine Soline avait appliqué une main épaisse et rêche sur ma bouche et m'avait dit dans un sanglot :

— Petite, tu veux réveiller Freddy et ses hommes ? Ils dorment. Ils viennent de se mettre au lit. À ton âge tu devrais comprendre les choses.

J'acquiesçai de la tête alors que Voisine Soline, les deux mains posées sur sa tête, exécutaient des petits pas de danse en disant : « Bon Dieu ô ! Bon Dieu ô ! »

Tonton Frédo, presque aussi mort que sa mère, ronflait dans la petite chambre dont j'avais oublié de fermer la porte.

Il n'y avait à l'intérieur qu'un petit lit en fer comme meuble et une vieille valise fuchsia dans laquelle se trouvait le peu de vêtements qu'il possédait.

Un grand calme était retombé sur la Cité. Le gang de Freddy avait vaincu celui de Makenson. On parlait d'une trentaine de morts. De reddition complète. D'exécution sommaire des récalcitrants qui n'avaient pas voulu déposer les armes. Un seul gang, une seule « base », comme ils disaient, ferait désormais la loi dans la Cité de la Puissance Divine : celui de Freddy.

Voisine Fany avait appelé l'entreprise funéraire. Elle était arrivée deux heures plus tard. Elle avait une camionnette comme celles qui assuraient le transport entre le boulevard Jean-Jacques Dessalines et Martissant, au fronton duquel était écrit « La grâce divine ». Voisine Soline avait mis une chemise d'homme couleur vert pomme par-dessus sa chemise de nuit à fleurs et un pantalon long en dessous. Elle était étrange sous toutes ces couches, je ne pouvais m'empêcher de penser aux fous et à ces personnages qui circulaient dans les quartiers pendant la saison de carnaval, que l'on appelait « La mayotte » et dont j'avais peur quand j'étais petite.

En temps normal, Voisine Soline avait tous les droits, mais le chagrin lui en conférait plus encore. Elle avait demandé d'attendre qu'il soit quinze heures avant de commencer à pleurer. Joe, Edner, Fany, Fénelon et sa femme Yvrose acquiescèrent.

La rigidité cadavérique empêchait de fermer les yeux de Grand Ma.

— Dans deux ou trois jours ce sera possible, avait dit l'employé de l'entreprise en transférant Grand Ma du lit à la civière, aidé de son collègue, avec une dextérité qui témoignait de sa longue fréquentation des cadavres.

Tonton Frédo était réveillé. Il paraissait vieux pour un homme de trente-huit ans. Il avait dormi tout habillé, était chiffonné et sentait l'alcool. Quand on a recouvert la tête de Grand Ma avec le drap blanc, il s'est mis à crier d'une grosse voix « Maman, Maman, Maman » et Soline, Edner, Joe, Fany, Fénelon et Yvrose lui ont dit en chœur :

— Ferme-la ! la ferme ! ta gueule ! inconscient, *tafiateur*[1] ! Tu vas réveiller les bandits.

Tonton Frédo s'était jeté par terre en émettant de petites plaintes.

1 Alcoolique.

Grand Ma avait fait construire elle-même cette maison. Elle aimait le rappeler en toutes circonstances. Le soir si elle entendait un bruit inhabituel sur le toit, souvent des pierres lancées par des gamins désœuvrés, elle s'asseyait sur le lit et s'adressait d'une voix claire à l'indélicat.

— J'ai fait bâtir cette maison moi-même, je n'ai pas de dettes, je n'achète rien à crédit, j'exige ma paix.

Son monologue pouvait durer plusieurs minutes, et elle faisait en sorte que les voisins l'entendent bien, Soline à sa droite, Fénelon et Yvrose à sa gauche, Nestor derrière, plus loin Pasteur Victor et sa femme Andrise, en face Fany et sa sœur Élise, ceux qui passaient, ceux qui avaient une raison de l'envier ou de lui en vouloir.

Elle me racontait souvent que lorsqu'elle avait acheté cette portion de terre il y a quarante ans, les gens ne passaient quasiment pas par là. Il n'y avait que des halliers, que son voisin le plus proche se trouvait à près de cinq cents mètres, un monsieur qui s'appelait Joachim, sa femme et leur fille. Ils étaient tous les trois tellement vieux qu'on avait du mal à croire que c'était vraiment leur fille. Grand Ma n'était pas certaine que le vendeur soit vraiment propriétaire. Il n'y avait jamais eu d'arpentage. Elle avait bâti ces deux pièces, aidée du père de Rosia, ma mère, et s'y était installée. Les gens étaient arrivés par la suite à un rythme effréné, bâtissant comme ils pouvaient des bicoques, ne laissant que des corridors pour circuler. L'État ne s'était jamais manifesté, ne s'en était jamais mêlé.

Ma mère était née dans la grande pièce, avec l'aide d'une sage-femme. Mon grand-père avait déjà quitté la maison. Pour une pimbêche, une roulure, une fille de rien, déjà mère de quatre enfants, s'emportait Grand Ma. Les années n'étaient pas parvenues à calmer sa colère.

De ma mère, il restait deux clichés. Une petite photo d'identité jaunie prise quand elle avait six ans pour l'inscription à l'école. Elle regarde dans le vide, intimidée sans doute par le photographe. Elle y a l'air triste. Et une autre où elle est debout, à droite de Grand Ma, assise sur une grande chaise en osier avec Frédo à gauche. Personne ne sourit. Ils sont tous figés. L'image du fond est une cascade. De l'eau, des herbes, des roches, un paysage qui avait tout pour être enchanteur et ne l'était pas. Ma mère, Rosia, porte une robe rose, longue à bretelles, avec des volants en bas qui arrivent au niveau de ses chaussettes blanches. Elle a des chaussures noires. Grand Ma est vêtue d'un tailleur blanc et chaussée de sandales à talons. Elle a une petite valise sur ses genoux. Cette valise est encore dans la commode. Tonton Frédo arbore un costume blanc et un petit nœud papillon rouge autour du cou, ses chaussures sont bien cirées, il se tient droit, il a quatre ans et Rosia huit.

Je ressemble beaucoup à ma mère. Petite, je tenais tête à Grand Ma en disant que c'était moi. Cela la faisait rire. Un rire triste. Ma mère est morte à vingt ans, j'en avais deux et je n'ai aucun souvenir d'elle. Même pas une odeur. Rien.

— Je crois qu'elle avait attrapé cette « sale maladie », disait tout bas Grand Ma pour désigner le sida.

Le pasteur Victor et sa femme Andrise étaient venus lui expliquer que des forces maléfiques avaient réussi à tuer sa fille et tuaient beaucoup de jeunes comme elles dans la ville, mais Grand Ma n'était pas dupe. Le jeune médecin qu'elle avait rencontré à l'Hôpital général, très propre, l'air honnête, si bien qu'elle avait adressé une prière à Dieu pour que Frédo devienne comme lui, lui avait dit que c'était le sida.

Rosia était déjà assez mal en point quand elle l'avait finalement emmenée à l'hôpital. Cela faisait plusieurs semaines qu'elle dépérissait et inquiétait sa mère. Le jeune docteur ne lui avait posé que des questions affirmatives, sûr de son diagnostic. « Vous avez perdu beaucoup de poids, vous avez des difficultés à avaler ? Vous avez des diarrhées constantes, des vomissements ? Vous avez des lésions sur la peau, vous toussez ? »

Il était beau et impassible. Il avait recommandé des tests. Pour le principe. Et une hospitalisation, vu l'état de la jeune fille. Grand Ma n'avait pas les moyens. L'hôpital public était en grève. Le jeune médecin l'avait envoyée trouver une de ses collègues au Centre de santé de Portail Léogâne qui lui avait fait cadeau de sérums, de médicaments censés aider Rosia à se sentir mieux. Elle décédait un mois plus tard.

Grand Ma disait qu'elle regrettait de ne l'avoir pas battue, forcée à ne pas fréquenter ces voyous qui l'avaient poussée à laisser l'école à quinze ans, après un parcours chaotique. Elle aurait pu être comme cette jeune médecin qui leur avait donné les médicaments, elle aurait pu aller à l'université. Mais elle s'était mise à boire, à se droguer, s'était fait engrosser à dix-huit ans sans avoir aucune idée de qui pouvait être le père.

« Tout peut arriver quand on est constamment pétée », disait Grand Ma. Quand elle l'insultait, la giflait, Rosia passait des jours sans rentrer à la maison. « J'ai tout fait pour te protéger toi, murmurait-elle en me passant la main dans les cheveux, je te gardais auprès de moi, même si cela arrangeait ta cloche de mère. Tu dormiras derrière mon dos jusqu'à ce que tu sois adulte, chez toi, je ne te livrerai à personne, j'ai déjà payé très cher avec ta mère. »

Les jours qui suivirent le décès de Grand Ma furent terribles. Les affrontements avaient repris le soir même, cette fois-ci entre Freddy et des dissidents de sa propre base. Le quartier était cloîtré, quasiment aucune voiture ne passait sur la Grand-Rue. Je dormais sous le lit. Tonton Frédo était resté sobre pendant quatre jours. Ses fournisseurs d'alcools arrangés ne sortaient pas leurs négoces.

Le décès de Grand Ma était tellement banal. Plusieurs jeunes garçons tombaient tous les jours, morts par balle, et leurs collègues les enterraient à la hâte, sur place. « Ce sont des soldats, un soldat doit toujours être prêt à mourir » disait Pierrot, un jeune homme qui devait avoir dix-neuf ans et qui venait souvent acheter la friture que vendait Grand Ma.

Au bout du quatrième jour les tirs cessèrent. Freddy avait tué de ses propres mains les traîtres qui n'acceptaient pas son autorité. « Une balle dans la tête, pow ! » racontait Pierrot excité et admiratif.

— C'est un vrai chef, un solide, répétait-il après chaque phrase.

Il voulait que tout le monde écoute l'histoire, et aucune des versions n'était la même. Elles étaient au fur et à mesure amplifiées, regorgeant de détails féroces. Plus c'était cruel, plus la légende de Freddy serait macabre, plus il serait respecté, parce qu'il savait que de l'autre côté de la ravine il y avait encore des velléités de rébellion. Pierrot était une sorte de porte-parole de Freddy, il était fidèle et passionné.

J'avais cherché partout dans la commode, dans la maison, des choses à vendre pour payer les funérailles de Grand Ma. Je n'avais pu trouver que seize mille gourdes, la totalité de ses économies, serrées dans la vieille valise noire qui est sur ses genoux dans la photo de famille, complètement craquelée après toutes ces années, et dans le seau en plastique transparent qui autrefois avait contenu de la peinture et qui désormais lui servait à mettre les recettes de ses ventes, trois mille piastres, constituées de billets sales, chiffonnés et de pièces. C'était loin d'être suffisant pour des funérailles.

J'avais pris les chaudières, les casseroles, celles qui servaient à faire cuire la nourriture qu'elle vendait, les draps si blancs, si bien entretenus, sentant légèrement la naphtaline, pour aller les vendre.

À la fin de la journée, je n'avais vendu qu'une casserole, sûrement pas au prix qu'elle valait; les femmes qui marchandaient partaient d'un gros éclat de rire en entendant mes prix et m'apprenaient qu'il y en avait à meilleur prix, avec plus de gueule, partout sur les trottoirs, en très bon état, arrivées de la Floride et même de plus loin, « d'endroits où tu ne pourras jamais te rendre, petite », qu'elles ajoutaient.

Pierrot était un garçon sérieux. Grand Ma le complimentait pour cela. Il revenait payer ce qu'il achetait, « pas comme ces voyous qui venaient vous voler le fruit de votre travail et à qui on ne pouvait même pas refuser de vendre de peur qu'ils vous interdisent de continuer le business », qu'elle disait. Il n'avait pas appris pour Grand Ma. Il était venu le samedi suivant, étonné de ne pas trouver Christa sur la petite galerie, affairée devant son énorme chaudière de griot, de riz mélangé avec des haricots rouges qui sentait tellement bon, la banane plantain frite et le *pikliz*[1], sans doute le meilleur de la ville. Il avait frappé vigoureusement, et j'étais sortie lui parler.

Il avait eu l'air triste. Sincèrement.

— Je vais en parler au Chef, avait-il dit sérieusement, il va accepter de t'aider.

---

1 Salade très relevée à base de chou blanc, d'oignon.

La veillée ainsi que les funérailles de Grand Ma furent grandioses. Freddy avait tout payé. Il s'était même fendu d'un discours lors de la veillée dans lequel il accusait Makenson d'avoir provoqué la mort de ma grand-mère qu'il prétendait avoir vengée. Il avait toujours en main, comme un objet fétiche, un Glock 40, et deux de ses adjoints le suivaient de près, chacun armé d'un fusil d'assaut semi-automatique AR15.

Freddy était mince et grand. Il parlait lentement, et on ne répondait que pour l'approuver. Voisine Soline gardait la tête baissée, les bras croisés sur ses seins volumineux. Si elle pouvait elle se serait levée pour marquer sa désapprobation avec ce brigand, lui signifier qu'en tant que servante de Dieu elle ne pouvait le fréquenter, qu'il n'était qu'un suppôt de Satan, mais personne n'osait contredire Freddy.

— Je l'ai connu bébé, m'avait-elle expliqué ce matin. C'est le fils de sœur Julienne, bonne chrétienne qui vit dans la crainte de Dieu. C'est son prénom qui l'a perdu. Son père avait travaillé comme homme à tout faire chez des Américains dont le fils s'appelait Freddy et il a voulu donner le même prénom à son rejeton, pensant que cela lui porterait chance dans la vie, mais quand on est un Haïtien on ne s'appelle pas comme ça. En créole Freddy veut dire « froid », et en plus le gamin avait toujours la morve au nez, maigre comme un clou, ses petits camarades s'étaient mis à le pourchasser en l'appelant

« Ti Freddy », et il est devenu fou. Il faut être dingue pour tuer des gens, pour leur mettre des balles dans la tête volontairement et s'en vanter. On me raconte qu'il tire sur les gens s'ils osent rire en sa présence, il croit qu'ils se moquent de son prénom. À cause de lui la pauvre Julienne a perdu son âme, il lui apporte plein de choses qu'il achète avec l'argent qu'il vole aux autres, elle n'ose plus recevoir les réunions de prière chez elle. Elle a de l'électroménager, des meubles et même une génératrice. Depuis quand les gens qui habitent notre Cité possèdent-ils ces genres de biens, hein ?

Voisine Soline s'était mise à pleurer. Je ne savais pas si elle pleurait Grand Ma ou le sort de Julienne et de son fils, elle avait fini par ajouter qu'elle allait prier pour l'âme de Christa. La pauvre Christa.

Freddy avait désigné deux soldats pour s'occuper de tout. Pierrot et Joël. C'est Pierrot qui avait été apporter les quatre-vingt mille gourdes à l'entreprise funéraire « La grâce divine », et Joël s'était chargé d'aller acheter l'alcool pour la veillée, Yvrose avait proposé de faire du thé et du café à ses frais.

Livio avait animé la soirée. C'était un animateur professionnel de veillée. Il enchaînait les gags, et le public était bon. Les gens riaient fort, avant même qu'ils aient compris ce qu'il voulait raconter. Ils étaient venus nombreux, c'était pour la plupart des clients de Grand Ma et des voisins. Frédo dormait sur sa chaise, il avait déjà bu une bouteille entière de rhum Barbancourt et je l'avais vu en cacher deux dans sa chambre tout de suite après que Joël eut apporté les caisses dans l'après-midi.

Le vent faisait vaciller les flammes des petites lampes artisanales à kérosène qui éclairaient l'assemblée, Freddy avait fait barrer les deux côtés du corridor afin qu'aucune motocyclette ne vienne perturber la cérémonie. C'était par pure forme, aucun inconnu n'aurait osé s'y s'aventurer en sachant qu'il était là.

Les funérailles eurent lieu le lendemain matin à l'église Sainte-Anne. Une église catholique. Voisine Soline était scandalisée, mais elle ne pouvait pas dire à Pierrot qu'il n'avait pas pris les bonnes dispositions avec « La grâce divine » où l'exposition avait eu lieu à sept heures du matin, il devait obéir aux instructions de Freddy. Ils avaient pu fermer les yeux de Ma, mais la frayeur se voyait encore sur son visage. Elle portait un tailleur blanc impeccable, celui que j'avais trouvé accroché à un cintre dans son placard, son seul vêtement pour les grands jours. Il faisait chaud malgré l'heure matinale. Tonton Frédo, Soline, Yvrose, Fénelon et moi occupions le premier rang, et les gens venaient nous saluer, se signaient devant le corps de Grand Ma. Je pleurais toutes les larmes de mon corps et j'avais envie d'aller me blottir contre la morte, dormir avec elle, comme je l'avais fait durant toute ma vie. Yvrose essayait de me consoler. Frédo portait une veste chiffonnée, trop grande, je ne sais qui de Fénelon ou de Nestor la lui avait prêtée, et marmonnait comme un gosse idiot : « Maman, qui va s'occuper de moi maintenant ? »

À l'église, qui était en réalité une grande tente recouverte de tôle ondulée, onze cercueils étaient alignés pour des funérailles collectives. Le prêtre, de très mauvaise humeur, se trompait systématiquement dans le prénom de Grand Ma qu'il appelait Chrisla. Quand quelqu'un se jetait par terre pour pleurer, je ne savais pour lequel des onze morts il le faisait, sauf une jeune femme qui portait un maillot blanc au-devant duquel était imprimé le visage d'un jeune et au dos « A Dieu Michelet ». Les gens séparaient en deux le mot « Adieu ». La nouvelle graphie était utilisée sur des maillots, des banderoles, les murs pour saluer le départ d'êtres chers, d'amis, de bandits.

L'inhumation de Grand Ma avait eu lieu dans le Grand Cimetière de Port-au-Prince. Je boitillais affreusement, un de mes talons s'était cassé et j'avais mal aux pieds, je n'étais pas habituée à porter des chaussures à talons hauts.

Les jours s'étaient écoulés lentement, lourdement. Neuf mois. C'est long. Je ne pensais pas que tant de silence pouvait entourer la maison. Malgré les tirs qui quelquefois essaient de déchirer la nuit ou de blesser le jour. Malgré le brouhaha quotidien de la Cité, les disputes entre voisins, les séances de prières qui s'y tenaient jour et nuit comme s'il fallait insister jusqu'à ce que Dieu finisse par rétablir un quelconque ordre, dire le mot de la justice, du silence, réponde à ces prières, si dérisoires pourtant.

Tonton Frédo buvait moins depuis la mort de Grand Ma. Il passait beaucoup de temps dans la chambrette à regarder le plafond, semblant vivre un interminable deuil. Il mangeait à peine. Il ne répondait jamais quand je frappais à sa porte, je rentrais quand même et il me regardait avec un sourire faible qui me faisait du bien.

J'avais du mal à imaginer Tonton autrement que dans ce corps amaigri, abîmé par l'alcool, pourtant il avait été un sportif dans sa jeunesse. Il avait fait de la course d'obstacles, quatre cents mètres haies. Un membre de la Fédération d'athlétisme était même venu chez nous une fois disait Grand Ma, il lui avait parlé des performances de son fils dans les courses. Elle était fort gênée. Elle ne recevait jamais de personnes étrangères à la Cité. Il n'y avait pas l'espace pour cela. Il lui avait fallu pousser à côté les chaudières, les casseroles, la grosse pile de bananes plantain qui se trouvait sur la petite terrasse pour faire de la place pour ses pieds alors qu'il s'était installé dans la chaise à bascule. Frédo était mineur, il fallait que sa mère autorise à l'emmener participer aux Jeux olympiques qui avaient lieu cette année-là à Atlanta, aux États-Unis. Il avait aussi expliqué à Ma que ce serait les centièmes Jeux. Elle n'avait pas compris ce que cela voulait dire, elle ne savait pas ce qu'étaient les Jeux olympiques, la seule chose qu'elle avait retenue était que son fils Frédo allait partir, prendre l'avion, et elle en était très émue, elle qui s'emportait contre lui parce qu'il négligeait ses leçons pour aller, comme un fou, risquer de se faire écraser par une voiture ou faire une chute irréparable. Elle s'était signée et avait dit « gloire à Dieu » en présence du représentant du Comité olympique haïtien qu'elle remerciait chaleureusement, en faisant son possible pour paraître une dame correcte afin que le monsieur comprenne que Frédo avait une mère comme il faut.

Grand Ma s'était mise, depuis cette visite, à raconter à tous ceux qui venaient lui acheter de la nourriture, tous ceux qui fréquentaient la même église qu'elle, que son fils allait partir aux États-Unis représenter son pays aux Jeux olympiques, qu'elle ne savait pas trop s'il allait revenir, peut-être allait-il prendre la décision de faire des études dans ce beau pays, continuait-elle dans un soupir et tout à fait consciente de la jalousie des autres.

Ma se remémorait tout le temps cette première semaine de juillet, combien elle avait couru dans Port-au-Prince, dépensé de ses économies durement mises de côté pour trouver à Frédo des chemisettes, des chaussettes, une paire de chaussures noires, des chemises afin qu'il ne soit pas obligé de partir avec ces t-shirts pourris qu'il portait à longueur de journée.

Claudy était le meilleur ami de Frédo, il habitait à Carrefour-Feuilles. Lui aussi pratiquait l'athlétisme. C'était même ce qui renforçait leurs liens. Ils allaient courir comme des dératés dès cinq heures du matin, sautant tous les obstacles qu'ils pouvaient, des piles d'immondices aux vieux moteurs de voiture abandonnés, en passant par les paniers des marchands qui les menaçaient et leur lançaient des pierres, les traitaient de tous les noms. Claudy était très mince, encore plus que Frédo, avec un visage de garçon non encore pubère, si bien que Ma doutait un peu qu'il ait dix-sept ans, il en paraissait treize et surjouait son assurance pour paraître plus vieux. Il envisageait de rester aux États-Unis où vivait sa marraine qui n'avait pas d'enfant et encourageait ouvertement Frédo à en faire autant. Secrètement Ma souhaitait que ce fût possible. Pourquoi elle aussi n'aurait pas quelqu'un dans un pays étranger, cela donnait espoir, permettait de s'imaginer également dans un de ces pays lointains, beaux, riches, où disait-on il était plus facile de gagner de l'argent.

Ma s'était confiée au vieux Nestor dont la fille vivait aux États-Unis depuis quinze ans, sans être jamais revenue au pays, faute d'avoir obtenu des papiers. Elle n'avait pas pu assister aux funérailles de sa mère ni à celles de son jeune frère engagé dans le gang de la Cité Bethléem, dirigé par Gros Élie, mort dans un échange de tirs avec la police. Ma avait dit à Nestor pour le consoler : « Dieu contrôle tout ! » en pensant tout bas qu'elle aurait mille fois préféré que Rosia soit loin, dans un autre pays, sans papiers, au lieu d'être là à se shooter du matin au soir en compagnie de scélérats.

Frédo s'était, quant à lui, mis à rêver très fort d'Atlanta, des États-Unis, de lumières, d'un lieu où il pourrait continuer l'école tout en devenant un grand athlète. Ma l'entendait se tourner, se retourner sur le lit en fer de la petite pièce attenante. Elle avait l'habitude avec lui de cette communication imparfaite. Les grincements de sa couche disaient à quel point il était tourmenté, entre joie d'entreprendre cette aventure, d'aller participer aux centièmes Jeux olympiques et le choix qu'il fallait qu'il fasse de rester, de se sauver du reste du groupe avec Claudy. Il n'était encore qu'un adolescent élevé comme la plupart des garçons, qui n'avait rien appris à faire de par lui-même. Il sentait que Ma était d'accord. Elle aurait peut-être dû lui parler ? Mais Ma n'avait jamais parlé à ses enfants. Elle n'avait envers eux que les devoirs que ses maigres revenus lui permettaient d'accomplir. C'est vrai qu'elle avait rêvé pour eux d'un meilleur quartier, à défaut d'une meilleure maison, qu'ils fassent des études, mais elle avait toujours été une femme seule. Les deux hommes avec lesquels elle avait essayé de faire sa vie étaient tous les deux partis, la laissant chacun avec un enfant à qui ils n'avaient même pas offert leur patronyme.

Ma en était certaine. Partir voulait dire améliorer sa vie, celle de sa mère, celle de sa grande sœur. Il fallait que quelqu'un tente de sauver Rosia, lui fasse comprendre qu'elle devait être prête à tout moment à changer de vie, que son frère serait bientôt en mesure d'envoyer de l'argent à sa famille. Félicienne, la voisine du bout de la rue, recevait, au moins tous les mois, un transfert de son fils Baptiste qui vivait à New York, elle avait même été le visiter et elle parlait de cette ville en disant des choses à peine croyables. Jamais de blackout, toujours de la nourriture plein le frigo, des routes suspendues, des immeubles qui touchaient presque le ciel. Elle marchait encore le nez en l'air quatre ans après en être revenue. C'est aussi de la flamboyance, de la fierté, que l'on va chercher dans ces pays-là pensait Ma. Frédo était peut-être sa seule chance de s'y rendre.

Elle avait galéré pour aider Tonton à faire son passeport, malgré l'aide de la Fédération. Il avait fallu qu'elle aille chercher un extrait d'acte de naissance, ce qui était ridicule vu que c'est l'État qui fournissait l'acte de naissance, faire la queue au service de l'immigration et attendre quatre mois avant que le passeport ne soit livré. Elle l'avait embrassé ce livret bleu marin avec, imprimées en doré, les armoiries de la République, elle l'avait emmené à l'église, supplié Dieu d'être toujours présent sur les chemins qu'emprunterait son fils, surtout de faire qu'il n'oublie jamais sa mère. Et puis de bien guider la main de ces consuls arrogants qui pourraient lui refuser le visa parce qu'il était un garçon du peuple.

C'est la Fédération qui avait fait les suivis. Grand Ma n'avait pas pu accompagner Frédo au consulat. Elle le regrettait. Frédo non. Ma sentait qu'il était gêné par ses questions, son enthousiasme et cette façon qu'elle avait de raconter, même aux gens qu'elle ne connaissait pas, que son fils allait voyager.

C'était un jeudi. Frédo avait annoncé à Ma qu'il partait le mardi. Il n'allait pas porter les chemises, chemisettes, pantalons et chaussettes qu'elle avait achetés, il était astreint au même uniforme que toute la délégation. Ma avait souri et dit qu'il en aurait besoin quand même, qu'il n'allait pas porter le restant de sa vie ce maillot bleu et rouge avec le drapeau national brodé sur la manche droite. Elle aurait dû le prendre dans ses bras, mais elle n'avait jamais fait ça avant, et puis c'était un homme maintenant son fils, c'était à lui de la protéger, de prendre soin d'elle et de sa sœur. Il avait l'air perdu avec encore de l'acné sur le visage, son jeune corps tout en muscles, ses cheveux qu'elle aurait souhaité qu'il garde plus courts, mais elle avait décidé qu'elle ne dirait rien qui pourrait ressembler à un reproche ou une désapprobation.

Elle l'avait accompagné jusqu'à l'aéroport. Ils ne s'étaient pas dit grand-chose dans le bus. Cela aurait été difficile. La musique était trop forte dans le véhicule. Les haut-parleurs résonnaient dans son cœur. C'était elle qui traînait la valise. Il avait semblé dérouté quand il avait vu la couleur choisie par sa mère. Fuchsia. Ma n'avait pas réalisé que c'était un détail important pour un garçon, surtout quand il évoluait dans un milieu sportif.

Avant ce jour, elle n'avait jamais mis les pieds à l'aéroport. Elle n'y était pas entrée. Elle n'en avait pas le droit. Des membres de la délégation attendaient devant l'entrée. Ils se reconnaissaient vite grâce à l'équipement de la sélection. Claudy était déjà là. Frédo n'avait pas pu avoir son passeport. C'est le chef de délégation qui allait les garder tout le temps. Il n'avait même pas pu voir le visa qui y avait été apposé. Ils devisaient joyeusement sans voir les gens qui les entouraient, dont Ma, un couple qui avait accompagné sa fille et une dame jeune et coquette munie d'un appareil photo qui les capturaient sous tous les angles.

Frédo avait un peu honte de Grand Ma. Elle n'avait pas fait d'efforts de coquetterie, elle portait une robe trop serrée, elle avait grossi et gardé les mêmes vêtements, des sandales qui laissaient voir ses gros orteils aux ongles rongés par les mycoses. Frédo, en pénétrant dans l'enceinte de l'aéroport, lui avait déposé un rapide baiser sur la joue droite. Elle était rentrée chez elle où elle fut effrayée par le silence qui régnait, malgré l'agitation de la Cité et tout le travail qu'elle devait accomplir pour être prête avant que ses clients ne commencent à arriver.

Haïti n'avait obtenu aucune médaille. La plupart des athlètes avaient choisi de ne pas revenir. S'étaient-ils seulement concentrés sur ce qu'ils étaient partis faire ? Cela n'avait servi à rien de garder leurs passeports. C'était arrivé tellement de fois. La Fédération avait choisi de faire silence. Ma aussi. Elle n'avait aucune nouvelle de Frédo et souhaitait presque que Rosia ne rentre plus à la maison. Lors de leur dernière dispute elle avait essayé de la frapper, mais bien décidée à ne pas se laisser faire, sous l'emprise de plein de substances, Rosia lui avait rendu les coups, et c'est Ma qui s'était retrouvée à pleurer dans un coin quand elle fut partie, emportant tout l'argent qu'elle avait pu trouver.

Frédo est bien où il est. C'est ce qu'elle répondait quand on lui demandait des nouvelles de son fils. Elle le pensait sincèrement. Il ne pouvait qu'être bien, même s'il ne donnait aucune nouvelle, comme s'il avait effacé son passé. Il était bien. Il n'était pas dans la même déchéance que Rosia, il ne fréquentait pas ces bandits qui semaient la terreur, ces petits voleurs qui rançonnaient les commerçants de la Cité.

Ma a vu les jours s'enchaîner. Elle partageait son temps entre les services à l'église et son commerce. Elle avait engagé une jeune aide. Mimose. Elle épluchait les vivres, s'occupait du feu, allait faire les courses du matin au soir contre un maigre salaire. Il y a toujours plus pauvre que le dernier des pauvres. Cet emploi lui permettait au moins de manger et d'emporter une partie des invendus chez elle. Elle avait vingt-trois ans, était déjà mère de trois enfants et vivait entassée avec eux et ses parents dans une masure à deux corridors de chez Grand Ma. Elle était dévouée, et Ma appréciait sa compagnie, elle était si seule.

Célia. Cécé. On me dit souvent que c'est un joli prénom. J'ai eu vingt ans il y a trois mois. Ma mère, Rosia, n'avait prévu aucun prénom quand elle était enceinte. Elle devait avoir à peine conscience qu'elle allait mettre un enfant au monde et était sûrement sincère quand elle disait à sa mère qu'elle ne savait pas de qui était son bébé. Elle n'était encore qu'une adolescente quand elle est tombée dans la drogue et l'alcool. Quatorze ou quinze ans. Grand Ma n'avait rien vu arriver, trop prise à « chercher la vie » comme elle disait.

Rosia était revenue à la maison à son sixième mois de grossesse. Elle continuait de boire, fumer et consommer de la drogue, autant qu'elle en trouvait. Elle volait sa mère pour continuer à nourrir sa dépendance. Grand Ma m'a raconté qu'elle avait beaucoup prié pour que je vienne au monde sans une malformation.

J'étais née si petite qu'on avait dû me garder deux semaines à l'hôpital. Le médecin avait prévenu que je risquais plein de maladies. Il avait tort, mais je suis restée chétive. Je mesure un mètre cinquante-cinq et je ne suis pas très jolie. Ça doit être à cause des drogues.

Ah, oui, Célia c'était le nom du lait maternisé que Grand Ma avait acheté à l'épicerie de Mercidieu, la plus grande de la Cité. C'est marqué épicerie, mais en réalité c'est une boutique qui vend de tout, du lait pour enfants au kérosène pour les lampes.

Quand Grand Ma avait demandé à Rosia comment elle souhaitait me prénommer, elle avait regardé la petite table sur laquelle était posés trois biberons, la marmite de lait, une bouteille d'eau et elle lui avait répondu : Célia. Ma avait souri. Elle trouvait que c'était un joli prénom. Célia Jérôme avait répété trois fois ma grand-mère qui s'était mise à préparer mon breuvage. Le médecin qui s'était occupé de l'accouchement de ma mère à l'Hôpital général lui avait interdit de me donner le sein, il l'avait surprise en train de boire un alcool arrangé, un *tranpe*[1], qu'elle était clandestinement allée acheter près de la Faculté des sciences, non loin de l'hôpital. Elle s'en foutait, Rosia. Elle ne voulait pas de moi. Elle souhaitait au plus vite rejoindre ses amis qui passaient leur temps dans les rues à mendier pour se procurer ce qui était pour eux du bonheur, de la liberté.

Elle était retournée dans sa normalité trois semaines après ma naissance. Grand Ma était en colère et lui avait demandé de ne pas se faire engrosser de nouveau par un bon à rien comme elle.

Rosia passait de temps en temps à la maison sans jamais manifester le moindre intérêt pour moi. Ma était contente qu'elle ne m'approche pas avec sa mauvaise odeur, ses relents d'alcool, ses cheveux tout emmêlés et son éternelle cigarette. Elle voulait de l'argent. Toujours. Et Ma payait pour qu'elle s'en aille. Ma mère c'était Ma. Elle était heureuse de m'avoir. Je lui avais apporté une grande joie, elle n'avait personne à la maison depuis le départ de Frédo. Avec moi elle avait appris à parler, à exprimer sa tendresse, ce qu'elle n'avait jamais pu faire avec ses propres enfants. Je progressais moins vite que les autres bébés. J'ai marché à seize mois. Ma était désespérée et maudissait sa toxicomane de fille.

Rosia était revenue s'installer chez sa mère pour attendre sa mort. Elle lui avait apporté sa fatigue, ses excès, son mal de vivre, sa maladie. Grand Ma l'avait installée dans la chambre

---

1 Rhum artisanal arrangé à base de fruits ou d'écorces.

de Tonton Frédo. Il n'était plus question qu'elle partage le lit de sa maman, c'était désormais ma place. Elle vomissait sa vie, était à bout de forces. Elles ne se parlaient pas. C'était une fille qui avait défié sa mère, qui l'avait même frappée une fois. Ma était étonnée qu'aucun de ses compagnons de beuverie ne vienne la voir. Sans doute se mouraient-ils aussi, parce qu'ils avaient la même maladie, ou bien étaient-ils trop saouls, trop drogués pour faire le déplacement ou bien l'avaient-ils tout simplement oubliée ?

Rosia est morte pendant les Pâques. Je venais d'avoir deux ans. Ma avait toujours évoqué son chagrin durant les années où elle avait été sous l'emprise des stupéfiants, jamais elle ne s'était étendue sur celui causé par sa mort. Elle avait intégré depuis longtemps peut-être que c'était ce qui allait arriver.

— Au moins elle t'a fait, elle a choisi de te confier à moi. Merci Dieu. Merci le Ciel, disait-elle.

Cécé. Célia. Je suis une fille avec une histoire très ordinaire. Ma mère fut ma grand-mère. De famille je n'ai eu qu'elle. Jusqu'à ce que Frédo revienne de voyage. Mais il sera toujours plus ou moins un parent lointain, Tonton, comme ces cousines de Grand Ma qui arrivaient de Maniche, non loin de la ville des Cayes, dans le sud, quelquefois hésitantes, ayant perdu le fil de leur relation avec cette parente qui s'était installée dans la capitale, y avait bâti une maison. Tonton avait si peu de moments de lucidité que Ma avait fini par dire un jour qu'elle avait dû se rendre coupable de quelque chose qu'elle payait à travers ses enfants. Au moins il était là. C'est à la maison qu'il venait digérer son alcool, qu'il passait de longues heures à dormir, qu'il se laissait entretenir par sa mère malgré son âge, la rendant responsable, coupable presque de l'avoir mis au monde.

Je suis allée à l'école très tard. Ma avait peur que les autres enfants ne me cassent en deux ou en plusieurs morceaux. Je crois qu'elle voulait me garder auprès d'elle le plus longtemps possible, quitte à ce que je n'aille pas du tout à l'école. Je l'entendais dire aux voisins qui s'étonnaient que je n'aie pas commencé la petite école :

— Cécé est une enfant malade, vous voyez comme elle est chétive, j'ai déjà perdu Rosia, je ne veux courir aucun risque avec elle.

En réalité, elle pensait que l'école était un lieu de perversion, tout en souhaitant que je devienne médecin. C'est à l'école que ma mère avait rencontré ceux qui l'avaient entraînée dans l'alcool et la drogue. J'avais aussi peut-être hérité des mauvais penchants de ma mère qui, elle, les tenait forcément de son père. Moi je me sentais très bien. Je comprenais tout. Je connaissais tous les gros mots et pouvais choquer n'importe quel adulte, même Lorette, la folle de la Cité qui insultait tout le monde et se déshabillait entièrement quand on la fâchait ou tout simplement parce qu'elle était dans un mauvais jour, ou Dodo, l'alcoolique furieux qui chantait à tue-tête du matin au soir et insultait ceux qui lui disaient que sa femme l'avait quitté parce qu'il était incapable d'avoir une érection. Ma ne pouvait même pas s'imaginer comment je courais les corridors quand elle allait faire des courses en me laissant sous la surveillance de Mimose qui, entre-temps, se faisait peloter par Fénelon dans sa chambre, peut-être dans son lit.

Grand Ma se résigna à m'emmener trouver Maître Jean-Claude qui dirigeait la petite école primaire à l'entrée de la Cité le jour où, alors que j'étais très en colère contre Mimose qui me refusait un *cola*[1], je lui sortis en présence de Ma :

— Sale pute qui te fais mettre dans ton gros cul de merde par Fénelon !

Ma m'avait tout de suite fait entrer dans la maison et accusé Mimose, la pauvre, de m'avoir appris de gros mots et de m'offrir des spectacles sexuels quand elle était absente.

— Un ange, disait-elle, très en colère, au bord des larmes, une toute petite fille que tu as corrompue. Elle a raison d'ailleurs sur ce point, tu es une pute !

1 Boisson gazeuse et sucrée.

Ma grand-mère avait renvoyé Mimose sur-le-champ en la priant de revenir chercher son dû à la fin du mois. Elle était rentrée toute tremblante dans la maison, elle sentait le sang de cabri, c'était la viande habituelle du samedi, avait sorti de sous le lit la cuvette dans laquelle nous gardions les accessoires de toilette, mis du dentifrice sur ma brosse à dents, pris ma main, alors que je m'étais réfugiée dans un coin, très consciente des mots que je venais de prononcer, entraînée derrière la maison dans la petite case en tôle rouillée qui nous servait de salle de bain et m'avait rageusement brossé les dents. Ce brossage était comme un exorcisme, destiné à purifier ma bouche de laquelle étaient sorties ces abominations.

Ma s'occupa ce jour-là, toute seule, de préparer la nourriture, de la vendre, de laver ensuite les ustensiles. Il était très tard quand elle avait finalement fermé la porte pour se mettre au lit. Le lundi matin, alors qu'on était à la fin du mois de novembre, elle m'avait emmenée à l'école « Les anges de la Cité » dirigée par le professeur Jean-Claude, un homme affable, mercantile, d'une cinquantaine d'années qui ne refusait aucun élève, même à la fin de l'année scolaire. Elle resta une vingtaine de minutes avec lui dans son bureau alors que j'attendais dehors, assise sur une chaise essayant de faire que mes pieds touchent terre, pour oublier à quel point les rubans avec lesquels elle m'avait attaché les cheveux serraient.

Le bureau était en fait un espace de la pièce cloisonné avec du bois aggloméré qui gondolait de toute part, avec d'immenses taches d'eau, ou d'huile, et qui laissait passer une bonne partie des conversations.

Je n'étais pas arrivée à poser mes pieds par terre. Ma grand-mère était sortie du bureau avec un sourire triste en me disant :

— Ça y est, ma chérie, tu commences l'école demain.

Elle aurait pu tout aussi bien me dire que Rosia était morte une seconde fois. Maître Jean Claude, tout le monde l'appelait comme cela, me demanda d'un air ridicule en me montrant des dents longues, noircies par le tabac et la mauvaise hygiène :

— Comment t'appelles-tu ?

J'ai eu envie de lui dire quelque chose sur sa mère, le gros mot le plus courant de la Cité, mais le regard de Grand Ma me dissuada. Je balbutiai « Cécé, Célia Jérôme ». Il ajouta qu'il était temps d'apprendre à lire, à écrire et à parler français. Il s'était mis à débiter plein de choses en français auxquelles Ma et moi ne comprenions rien. On s'en foutait. Heureusement.

Moi, Cécé, j'avais pour la première fois un livre et un cahier. J'étais entrée directement en cours préparatoire. J'étais la plus âgée de la classe, mais je paraissais plus jeune. Les autres étaient plus avancés que moi. Ils lisaient proprement leur alphabet. Moi non. Ma préoccupation, pendant toute la première semaine, fut d'essayer de toucher le sol avec mes pieds pendant que j'étais assise sur le banc. C'était la première fois de ma vie que je devais rester dans la même position durant tout ce temps-là. Je m'ennuyais. Il fallait bien que je trouve quelque chose à faire.

J'étais au milieu de deux filles. Natacha et Joanne. Elles semblaient ne pas beaucoup m'aimer. Au troisième jour, Joanne entreprit de me piquer les côtes avec un crayon qu'elle venait d'aiguiser. Ça m'avait fait très mal. Je n'avais pas pleuré. Je ne pleurais presque jamais. Elle avait voulu recommencer une heure plus tard, j'avais alors saisi le crayon de ses mains et l'avait enfoncé dans sa cuisse gauche. Elle avait poussé un cri à fendre l'âme. Même Maître Jean-Claude était sorti de son bureau pour s'enquérir de ce qui se passait. Elle pleurait, gigotait alors que sa petite jupe bleu pâle était couverte de sang. Natacha était tellement effrayée qu'elle non plus ne pouvait sortir un seul mot. La maîtresse, Madame Sophonie, toute confuse, parce que le directeur allait sûrement penser qu'elle ne pouvait pas tenir sa classe, et Maître Jean-Claude lui-même, un peu angoissé, me pressèrent de dire ce qui s'était passé, je me contentai de hausser les épaules. Ils avaient conclu que Joanne s'était elle-même enfoncé le crayon dans la cuisse. Cette version de l'incident arrangeait tout le monde.

Le lendemain, Joanne était arrivée avec sa mère, une dame bien en chair dont les faux cheveux étaient cousus n'importe comment. Maître Jean-Claude m'avait fait chercher dans la classe. Il donnait une explication en français à la dame qui ne comprenait rien et s'épongeait le front avec un mouchoir jetable qui lui laissait des petits morceaux de papier blanc sur le visage, et ce n'était franchement pas joli. Les cheveux devaient lui donner chaud. Elle faisait de temps en temps un geste de la main pour demander la parole, quand Maître Jean-Claude la lui laissait, aucun son ne sortait de sa gorge. Elle n'osait pas parler créole et ne savait pas s'exprimer en français. Le directeur de l'établissement « Les anges de la Cité » s'interdisait de parler créole. La réputation de l'école en dépendait. Tous les pauvres bougres qui habitaient la Cité et ses environs ne rêvaient que d'une chose : que leurs enfants parlent cette langue qui permettait de dominer.

J'avais compris dans les gestes de Maître Jean-Claude et avec la répétition du mot « petite » qu'il expliquait à la maman de Joanne que j'étais trop petite pour avoir commis l'acte que sa fille me reprochait. Il comparait ma taille et ma corpulence à celles de Joanne qui me dépassait d'une bonne tête et était de surcroît bien ronde. La dame était partie. Dépitée. Joanne et moi avons reçu l'ordre de nous rabibocher et de regagner la salle de classe avec un sonore : « Surtout pas de désordre ! »

Elle marchait derrière moi. Elle boitillait. Elle avait peur. Natacha, quant à elle, me faisait de grands sourires depuis le matin. Elles voulaient toutes les deux faire la paix.

J'ai repris la première année. La deuxième aussi. Cela ne faisait rien, beaucoup des garçons reprenaient aussi. Sandino, Billy, Peterson, Robenson, Maradona. En quatrième année j'ai retrouvé Natacha qui avait été malade pendant deux ans. Nous sommes devenues amies. Joanne avait quant à elle changé de cité, on ne savait pas ce qu'elle était devenue.

Ma avait accepté que mon professeur me donne des leçons particulières en troisième année, comprenant finalement que c'était le seul moyen de rester une seule année dans une classe. Ils étaient plus indulgents, les profs, avec ceux qui leur permettaient d'arrondir leurs fins de mois. Maître Jean-Claude avait fait beaucoup d'efforts pour expliquer le fonctionnement du système à ma grand-mère qui avait mis beaucoup de temps à comprendre. Ce devait être la langue étrange parlée par Maître Jean-Claude. Un créole qui n'existe pas, avec des « r », des « e » et des intonations qui intimidaient Ma. Le plat gratuit que se faisait servir par Grand Ma tous les samedis le directeur devait faire partie du prix de l'écolage. Tout le temps que j'ai fréquenté « Les anges de la Cité », il a mangé tous les samedis sans payer.

« Cécé sait lire. » Grand Ma le disait les larmes aux yeux à ses clients. J'avais mis tellement de temps avant de pouvoir le faire qu'elle avait raison d'en être émue. Ma avait acheté un téléviseur. Il était plutôt petit. Je passais beaucoup de temps devant, notamment à regarder des vidéos clips. Ma m'impliquait très peu dans le commerce de la nourriture. Je devais étudier, me préparer à devenir médecin ou agronome. Elle avait engagé Lana pour remplacer Mimose, exigeait que je regarde la télé à l'intérieur au lieu de lui parler, mais j'avais compris que je ne devais plus dire de gros mots en présence de Ma, même si j'en connaissais plein que je n'hésitais pas à utiliser avec mes camarades à l'école où ma réputation de fille difficile était faite.

À treize ans j'ai participé à une manifestation. Maradona disait qu'on ne pouvait pas se laisser voler les résultats des élections. Je n'avais pas l'impression que l'on m'avait volé quoi que ce soit, je n'avais pas suivi l'actualité des élections, mais je m'étais bien défoulée sur le boulevard au milieu de gens que je ne connaissais pas qui étaient très joyeux ou très sérieux, scandant « c'est la victoire du peuple, nous voulons de ce président-là ! » Ils avaient cassé des pare-brise, des devantures de magasin, mis à sac quelques petits commerces, sûrement de gens complices du vol de la victoire du peuple. « Cette fois-ci c'est le bon avais-je entendu une dame dire, ce pays a beaucoup trop attendu, ce président va enfin nous sortir de la misère. »

J'ai passé mon certificat à dix-sept ans, laissé « Les anges de la Cité » pour le Collège mixte Bernardin de Saint-Pierre qui se trouvait aussi dans la Cité, où je devais commencer le secondaire. Le censeur, un homme sec avec une cravate toujours de travers et un fouet à la main, nous avait expliqué que M. de Saint-Pierre était un éminent écrivain français, il était désolé que nous ne le sachions pas. Cela nous avait fait rire. J'avais dix-sept ans mais il y en avait parmi mes nouveaux camarades qui avaient vingt-et-un et certains des professeurs, étudiants pauvres ou personnes ayant juste obtenu leur bac, ou peut-être même pas, avaient le même âge.

Je n'aimais pas étudier. Je regardais, autant que me le permettait le rationnement de l'électricité, des feuilletons latino-américains. À l'école, avec les filles, on discutait beaucoup de ces films. Je m'étais inscrite sur Facebook. Ma ne pouvait pas m'acheter un téléphone intelligent, je lui en voulais pour cela, enfin un peu, c'est qu'elle ne comprenait pas que j'avais besoin de communiquer, de voir le monde. Elle avait le même téléphone que moi, un modèle basique qui ne servait qu'à parler. J'allais à un cyber centre situé près du Théâtre national, bâtiment qui côtoyait un spectaculaire égout à ciel ouvert où stagnent des milliers d'assiettes en polystyrène et de bouteilles en plastique. La connexion était mauvaise et je n'avais pas de photos de moi à poster, je me contentais de « liker » les statuts et photos de mes camarades et d'ajouter mon fiel dans les débats où tout le monde se lâchait et rivalisait de méchancetés et de bêtises.

J'avais repris la sixième. J'ai difficilement passé la cinquième. J'ai arrêté l'école à la mort de Grand Ma. Personne ne m'a demandé pourquoi je n'y allais plus. Tout le monde s'en foutait, en fait. Ils ont peut-être aussi supposé que c'était à cause de l'argent. C'était vrai. Je n'aurais pas pu continuer à payer les six cents gourdes que coûtait l'écolage chaque mois, mais j'en avais assez aussi.

Jusqu'à huit ans on m'aurait dit que le monde commençait et s'achevait à la Cité de la Puissance Divine, je l'aurais cru. Je n'avais aucun souvenir qui n'y soit ancré et la terre entière ne pouvait être qu'aussi bruyante, coincée et puante. Madame Sophonie nous avait appris qu'elle était située dans la troisième circonscription de Port-au-Prince, la capitale. La mer n'était pas loin mais je n'avais jamais été m'y baigner, sans doute que ce n'était pas nécessaire, sinon Ma se serait dévouée, comme elle l'avait fait pour l'école, pour l'église où elle m'emmenait jusqu'à deux fois par semaine.

Une arcade indiquait l'entrée de la Cité, des citoyens qui s'identifient comme des militants l'avaient fait fabriquer. Un de ces jours, peut-être, je saurai pour quelle cause ils se sacrifient. Il n'y avait pas de chiffres officiels indiquant le nombre d'habitants, mais on était nombreux et il fallait de temps à autre reculer les limites du territoire. Certaines des maisons n'avaient pas été compliquées à construire. De la tôle, du bois, des bâches, et le tour était joué. D'autres, par contre, étaient impressionnantes, construites avec des matériaux durs, sur plusieurs étages. Parmi elles il y avait des hôtels de passe, des boutiques de prêteurs sur gages, d'autres aux frontons desquels était écrit « Bazar », des morgues, des écoles, des églises. On trouvait moult confessions à la Cité de la Puissance Divine, et à toutes les heures du jour et de la nuit les gens priaient, se relayaient dans des temples improvisés dotés d'incroyables systèmes de sonorisation pour psalmodier, chanter, comme si le bruit ne devait jamais cesser. L'église la plus proche de chez nous était celle dirigée par le pasteur Victor, et c'est là que se rendait Ma.

La Cité de la Puissance Divine était d'abord du bruit. Des bruits qui couvraient d'autres bruits. Des projectiles tirés en plein jour pour effrayer un commerçant qui ne voulait pas s'acquitter de la redevance envers le gang du moment qui rançonnait, des postes de radio dont le volume était mis à fond, chacun émettant un programme différent, des voisins qui s'insultaient, des cris d'enfants qu'on tapait ; des gosses qui étaient en train de courir, jouer, maigres, handicapés parce qu'ils avaient eu des accidents divers, que leurs parents pendant leur gestation avaient bu trop d'alcool, fumé des substances interdites, qui subissaient la cruauté de leurs camarades ; des mioches trop nombreux qui témoignaient du taux élevé de la natalité, nés d'amours éphémères, de viols ou des œuvres de Dieu lui-même. Des jeunes femmes qui priaient à longueur de journée, affirmaient très sérieusement avoir été engrossées par le Saint-Esprit et racontaient leurs songes à des gens ébahis qui croiraient n'importe quoi tant ils étaient paumés, désespérés ; les fous, trop nombreux, les alcooliques, les drogués, les éclopés du dernier tremblement de terre ou victimes des gangs, les aveugles, les morts que l'on pleurait, les prédicateurs qui serraient la main à Dieu plusieurs fois par jour, les marchands ambulants qui vantaient haut et fort leurs produits ; les chiens, maigres, qui se ressemblaient tous, reniflant partout à la recherche de nourriture, sautillant sur trois pattes, avec un œil crevé, une blessure infectée parce que tout le monde se défoulait sur les chiens errants, par plaisir, par habitude, par désœuvrement ; les caillasser était un réflexe, chez les enfants et les adultes.

Il y avait toujours un mort à pleurer dans la Cité. Les membres des gangs s'entretuaient, ou l'un d'entre eux tuait le chef pour prendre sa place, ils étaient souvent dans des échanges de tirs avec la police qui occasionnaient des morts et, bien sûr, les gens mouraient de maladies diverses liées à la misère et « la belle mort » n'existait pas, peu importe l'âge ou la maladie, le décès était toujours mis sur le compte de mauvais esprits, de loups-garous.

« Avant je connaissais quasiment tout le monde je te dis ! » répétait Grand Ma en regardant autour d'elle, incrédule, secouant la tête. La Cité a trop changé. Moi, je connaissais beaucoup de monde maintenant. Ceux qui étaient à l'école avec moi, leurs amis, les amis de leurs amis, leurs parents, leurs morts, et ceux de Facebook. On en parlait beaucoup des morts et beaucoup savaient qui le serait bientôt, parce qu'il avait intégré tel gang, trop pauvre, trop fragile, ou plus banalement parce qu'il avait insulté un caïd d'une cité rivale qui finirait par se venger.

J'avais un peu raison quand même de penser que le monde se résumait à la Cité de la Puissance Divine, les lois de la République s'arrêtaient devant l'arcade, un peu plus loin même, inopérantes face à l'ampleur du délabrement physique et parce que beaucoup des habitants semblaient y avoir atterri sans qu'ils aient un passé. Pour vivre dans la Cité il fallait croire très fort au présent et l'inventer à chaque seconde.

Au-delà de l'arcade, il y avait le reste de la ville, un endroit plein de tentations que je me promettais d'explorer de bout en bout. Je suis une fois allée en promenade avec ma classe de sixième à la montagne. Il y a des endroits pas loin où il fait frais, où il y a de belles maisons, des espaces verts. Il n'y avait presque pas d'arbre dans la Cité. Voisine Fany recycle des pots de peinture qu'elle garde sur sa galerie et dans lesquels elle fait pousser des fleurs, du basilic et de la citronnelle, elle prépare des infusions pour soigner son chagrin, elle ne se remettait pas de la mort de Pipo, son fiancé membre du gang de Fanfan Le Sauvage, tué lors d'un affrontement avec celui de Franzy Petit Poignet, qui était appelé comme cela parce que son bras gauche était plus court que le droit, une malformation qui lui avait valu les moqueries de tous depuis petit et l'avait rendu amer et cruel. Elle vivait avec sa sœur Élise, vieille fille qui n'était ni pieuse ni vertueuse.

Je connaissais bien le Champ de Mars et ses environs. J'avais souvent échappé à la surveillance de Grand Ma dont la plus grande crainte, ces vingt dernières années, avait été que je dévie comme ma mère, pour aller m'y promener avec des camarades de classe qui voulaient échapper à un cours de français ou de mathématiques. La marche était plutôt longue, et il faisait toujours chaud, mais cette liberté nous ravigotait. Nous partions voir un ailleurs très proche qui nous semblait pourtant loin. On entrait même au supermarché situé à côté du théâtre Rex, éventré par le tremblement de terre de 2010 et à l'intérieur duquel on balançait toutes sortes d'ordures. Nous nous extasiions devant les confiseries, les boissons fraîches, les fruits, sans pouvoir en acheter. Les enfants qui venaient de la Cité étaient sûrement étranges. Ce devaient être nos chaussures plus sales que celles des autres, nos vêtements, nos gestes, parce qu'à chaque fois que nous entrions dans le supermarché un monsieur aux larges épaules, habillé en kaki, nous suivait en nous regardant d'un air sévère. Je suis allée au carnaval aussi. Une fois. Avec la complicité de Natacha qui avait assuré à ma grand-mère que nous devions absolument faire un devoir qui nécessitait que l'on utilise des dictionnaires et des cartes géographiques qu'elle possédait chez elle. Grand Ma nous avait regardées avec inquiétude jusqu'à ce que Natacha lui rappelle que sa mère et elle fréquentaient la même église. Ce carnaval était beau. J'y ai bu ma première bière. Pendant des jours j'en avais eu l'amertume dans la bouche. J'avais seize ans.

La Cité de la Puissance Divine sentait mauvais. Ce devait être toutes ces rigoles, ces eaux qui stagnaient et autre chose. Beaucoup d'autres choses. Chez nous avait toujours eu l'odeur de la graisse, de la nourriture. Chez Natacha sentait le sulfate, sa mère vendait des shampoings, du savon, des produits qui servaient à blanchir la peau, ce que Natacha faisait elle-même depuis la sixième. L'église sentait la sueur, celle de ces femmes, de ces hommes qui y passaient trop de temps, qui portaient trop de charges au propre comme au figuré et qui venaient confier ces fardeaux au Seigneur qui ne s'empressait pas de les en débarrasser. Le collège mixte Bernardin de Saint-Pierre sentait le fatras, les déchets ménagers pourris, parce que les gens se débarrassaient de leurs ordures derrière ses murs. La direction avait mené toutes sortes de campagnes, proféré des menaces contre ceux qui le faisaient sans jamais arriver à les dissuader. Chez Soline sentait les épices dont elle faisait le commerce : l'ail, le girofle, le gingembre. Chez Fany sentait l'alcool dont Élise était toujours imbibée ; dans la maison de Fénelon et d'Yvrose les odeurs étaient mélangées, sans doute à cause des différents types de produits qu'ils proposaient dans leur petite boutique où j'allais acheter des cahiers à crédit. Joe et Edner étaient des maçons, et leurs femmes ne travaillaient pas. Chez eux c'étaient des odeurs de vomi et de défécation d'enfants, de sueur. Chez Nestor sentait la vieillesse, le renfermé, les épluchures de bois qui tombaient comme des cheveux, tout enroulées, des planches qu'il rabotait pour fabriquer les coffrets qu'il vendait. Et tous ces effluves se mélangeaient et enfermaient tout le monde dans la Cité de la Puissance Divine.

Frédo n'avait pas donné de nouvelles pendant douze ans. Pour moi il n'était que le petit garçon debout à gauche de Grand Ma dans la photo de famille. Quand Ma l'évoquait son regard se perdait dans le vide, comme si elle essayait de l'imaginer dans ce lointain, ce grand pays de justice et d'infinies possibilités. Il n'avait qu'un seul tort : ne pas donner de ses nouvelles à sa mère. Il ne savait même pas qu'il avait une nièce, nous avons tous besoin d'une famille, disait Ma avec des trémolos dans la voix.

Il ne s'était écoulé un seul jour sans qu'elle ne pense à lui. Je n'avais pas besoin qu'elle en parle pour le savoir. Elle me tournait le dos pour que je n'aperçoive pas ses yeux rougis, sa lèvre inférieure qui tremblait.

Avait-il été malade, avait-il continué à faire du sport, travaillait-il, s'était-il marié, était-il mort ? Il n'y a que la mort qui pouvait enfoncer les êtres humains dans de tels silences. Elle n'avait certes pas d'adresse, comme presque tous ceux qui habitaient à la Cité de la Puissance Divine, mais plein de gens ici avaient des parents à l'étranger, ils trouvaient quelqu'un qui revenait au pays à qui ils confiaient une lettre, quelques fois plus, en expliquant au messager quel corridor emprunter, et celui-ci se débrouillait pour demander des explications, donner le nom de la personne qu'il cherchait, la décrire à ceux qu'il croisait. La fille du vieux Nestor y arrivait bien, elle.

Et puis maintenant il y avait les téléphones portables. Elle aurait donné son numéro au messager qui le lui aurait transmis.

— Toi tu ne laisseras jamais tomber ta Grand Ma, pas vrai ?

— Jamais je ne laisserai tomber ma Grand Ma, répétais-je sincèrement.

Elle souriait, semblait consolée. Elle ne s'apitoyait pas sur son sort Ma, nous étions mieux loties que beaucoup de nos voisins, nous pouvions nous nourrir, notre maison était construite avec des murs, et la toiture était en tôles dans un paysage composé de beaucoup de petites maisons bâchées dans lesquelles les gens dormaient à plusieurs. Elle ne payait pas beaucoup aux chefs pour avoir le droit de faire son commerce, quelques plats, ici et là, à certains soldats, et on l'oubliait, elle n'était qu'une femme seule, pas jeune, une ancienne de la Cité qu'ils regardaient avec bienveillance.

Tonton était réapparu un jour devant la petite galerie pendant que Grand Ma coupait des bananes plantain et des patates douces pour la *fritaille* du soir. Elle avait bien remarqué qu'un corps lui barrait la lumière du jour, mais elle n'avait pas envie de relever la tête, elle risquait de ne pas être prête avant que les premiers clients arrivent si elle se laissait perturber par un fou ou un voisin qui venait commenter avec elle la dernière fantaisie d'Élise ou les prix des produits de première nécessité qui avaient encore augmenté. L'ombre était restée sans bouger pendant de longues minutes, sans rien dire. Elle avait fini par se résigner à regarder la personne. C'était un monsieur très maigre avec des vêtements chiffonnés, un gros afro, une barbe fournie, trop longue, des chaussures éculées et une valise couleur fuchsia toute déglinguée qui la regardait avec tendresse. Ma s'était mise à pousser des cris qui ressemblaient à des jappements, j'avais laissé tomber mon livre de sciences expérimentales, étais sortie en vitesse et avais vu le monsieur que j'ai pris pour un des dégénérés de la Cité.

Ma grand-mère avait arrêté de crier et disait dans un souffle « Frédo », « Frédo », des voisins étaient accourus voir ce qui se passait. Au moindre petit bruit dans la Cité de la Puissance

Divine, il y avait des attroupements, sauf quand on tirait. Frédo s'était approché, avait posé sa valise et mis une main sur l'épaule de Ma qui pleurait à chaudes larmes. Les gens semblaient incrédules. Ce n'était pas dans cet état-là que l'on revenait de l'étranger après toutes ces années. Christa avait dû raconter n'importe quoi, ce clochard devait sortir tout droit de prison ou de l'asile pour les fous.

Soline avait rapidement été préparer chez elle une cuillérée d'huile d'olive et de sel, remède imparable contre « les gros saisissements » et la faisait avaler à Ma tout en regardant avec méfiance cet homme qui sentait tellement mauvais.

— C'est mon petit, c'est mon petit, avait dit Ma, sentant le malaise causé par la présence de Frédo.

Les gens, les regards chargés de reproches, s'étaient dispersés, nous laissant seuls.

— C'est la fille de Rosia, avait dit Ma en me caressant le dos, sans regarder Frédo. Rosia est morte. Morte tu entends ?

Elle avait élevé la voix et s'était remise à pleurer, cette fois-ci la mort de Rosia. Elle avait besoin de pleurer sa fille en présence de son fils. C'était la première fois de ma vie que je vivais le chagrin de la disparition de ma mère. Frédo m'avait souri, un sourire triste, fané, doux. Il avait des plis autour des yeux et paraissait vieux et fatigué. Ma s'était levée, lui avait préparé une assiette de riz et lui avait dit doucement que la viande n'était pas prête. Il avait mangé avec appétit, il devait avoir très faim. Après il était entré dans la petite chambre, comme s'il l'avait quittée la veille, posé par terre sa vieille valise et dormi deux jours deux nuits.

Grand Ma était heureuse du retour de son fils. Il avait été déporté des États-Unis. Il l'avait expliqué tout bas en mangeant, parlant plus à lui-même qu'à sa mère. Il semblait réaliser tout à coup ce qui lui était arrivé. Ma avait vu revenir dans la Cité plein de jeunes hommes dont on disait qu'ils étaient des « déportés », donc dangereux. Certains avaient rejoint les gangs ou s'étaient adaptés à leur nouvelle vie en faisant du commerce, avec toujours sur le visage une tristesse, un espoir, un besoin de retourner dans ce pays qui refusait de leur accorder une seconde chance.

Tonton n'était pas un criminel, ni même un voyou, c'était un coureur raté qui n'avait pas su franchir les obstacles qui avaient été érigés devant lui dans un pays où il n'avait pas pu prendre pied. Il avait raté son entrée. Si au moins il avait gagné une médaille lors de ces jeux ! Mais il avait été minable, Claudy aussi, ils n'étaient pas au même niveau que les autres athlètes, ils étaient trop hantés par cette vie qui les attendait en dehors du village olympique. Toute cette lumière, ce bien-être juste à portée de main.

Tout ce que souhaitait Frédo depuis son retour, c'était reprendre la vie là où il l'avait laissée en 1996 et, pourquoi pas, oublier ces années de galère à souhaiter mourir sans jamais avoir le courage d'en finir. Pour effectuer ce retour en arrière, ou pour oublier, il buvait et dormait. Il refusait de parler de ses années passées aux États-Unis. Sa mère avait compris qu'il valait mieux ne pas insister. Jusqu'au décès de Grand Ma, elle lui refilait quelques gourdes tous les matins, et il partait se saouler. Il ne mangeait qu'une seule fois par jour. Lentement. Comme si cela lui était pénible. Il avait la lèvre inférieure toute rose, brûlée par l'alcool pur avec lequel on fabriquait les mélanges qu'il se procurait auprès de nombreux marchands de *trempés* dans la Cité.

C'est moi qui désormais lui donnais de l'argent à Tonton. Il ne m'en demandait pas, mais comment ferait-il sinon ? Et puis, je devais bien cela à Grand Ma. Pauvre Tonton. Cela m'évitait aussi de lui fournir des explications sur ces hommes que j'amenais à la maison. Il n'avait jamais posé de question à dire vrai. Il avait sans doute compris. Que pouvait-il dire ? Tonton, ce n'était personne, juste une loque, une âme en peine, un corps maigre dans des vêtements tachés, troués et chiffonnés.

Ça tirait de partout. Joël avait tué Freddy. Il avait déchargé sur lui son AR15. Il était mort, et les autres continuaient à lui tirer dessus, expiant leur rage, leur jalousie, les frustrations accumulées au cours de ces longs mois pendant lesquels ils avaient subi ses caprices de sociopathe. Il n'était qu'un lambeau quand on l'avait jeté dans un trou, à même la terre, près des cactus en forme de candélabre, au bord du sentier qui menait près d'un des rares espaces vides de la Cité que tout le monde appelait « le terrain de basket ». Un vieux panier y était planté, et des gosses venaient s'y entraîner tous les après-midi quand il n'était pas réquisitionné par les gars du gang de Freddy. Eux aussi, ils aimaient jouer au basket, ceux qui étaient sur le terrain posaient leurs Galils, le temps d'une partie, pour profiter de ce reste d'adolescence qu'il y avait encore en eux, oublier les cadavres, les bruits de balles, l'alcool, les stupéfiants.

Joël avait mal pris que Freddy ait frappé Pierrot jusqu'à lui casser un bras. Il l'avait surpris assoupi alors qu'il était de garde, il lui avait enlevé son arme et s'était mis à lui donner des coups de pied, à lui hurler des injures à propos de sa mère. Joël avait voulu s'interposer, le petit saignait de partout et demandait pardon. Freddy l'avait giflé en présence des autres et traité de minable, de crétin. Joël lui en avait voulu. Il avait eu envie de le tuer. Il fallait qu'il le tue. Il en avait rêvé toute une semaine. Il l'avait finalement eu par surprise. De sang-froid. Il racontait à tout le monde l'avoir vu gigoter dans son sang comme un animal, avoir finalement décelé la peur dans ses yeux, lui qui avait été pendant près de douze mois la terreur de la Cité et même au-delà, lui qui faisait chanter des ministres de la République, exigeait paiement pour ne pas bloquer les axes routiers menant dans le sud du pays, pour calmer les adversaires politiques.

Les autres membres du gang avaient tiré sur le cadavre de Freddy pour faire allégeance tout de suite au tueur, montrer à Joël qu'ils étaient de son côté et le proclamer chef tout de suite. Celui qui assassinait le Chef le remplaçait, héritait de ses biens, de sa folie, parfois de ses maîtresses.

Je n'avais presque pas reconnu Joël quand je l'ai croisé après qu'il s'est auto-intronisé chef. J'étais sortie acheter du pain et de la bouillie de maïs au carrefour, mon regard avait croisé le sien. Il avait détourné la tête. Il était entouré d'une dizaine de jeunes hommes armés. Je les connaissais tous. Ils avaient grandi dans la Cité. Ils venaient souvent acheter à manger de Grand Ma. Pierrot avait une arme de poing qu'il tenait dans sa main gauche, son bras droit était en écharpe et sa tête noué d'un foulard rouge à motifs, ceux que l'on trouvait partout, surtout en période de carnaval. Il avait fait semblant de ne pas me voir.

Le jeune homme qui avait apporté les bouteilles d'alcool pour les funérailles de Ma s'était métamorphosé. C'était maintenant un homme furieux, conscient de son pouvoir et de sa mort prochaine, qui se déplaçait dans la Cité, à qui on allait demander des faveurs, implorer qu'il laisse la vie sauve à tel effronté ou qu'il fasse reprendre sous la menace un enfant renvoyé de l'école. C'était toujours très sérieux ou très banal, mais la capacité à trouver une solution aux problèmes déterminait à quel type de chef on avait affaire, fabriquait la légende.

Sœur Julienne avait discrètement reçu l'ordre de ne pas pleurer, de ne pas réclamer le corps de son fils, de ne même pas en parler. Soline était allée la voir. Elle l'avait trouvée digne au milieu de ses beaux meubles, de son électroménager dernier cri, assise sur un très beau fauteuil, regardant au loin, marmonnant accepter la volonté de Dieu et celle de Joël.

— Une semaine que je ne l'avais pas vu, disait-elle, mais Dieu voit tout et sait tout.

— Je n'ai que des prières à t'offrir, ma sœur, lui avait dit Soline.

Elle n'avait pas répondu. Soline était partie. Elle avait été la seule à oser aller la voir. Ceux qui passaient de temps à autre, avant, laisser un message pour le Chef, la complimenter pour la réussite de son fils, son intelligence, avaient disparu ou avaient trop peur du petit nouveau. Les consignes leur étaient parvenues. Freddy c'était un passé à vite oublier. Seul le présent comptait, il s'appelait Joël.

Il s'appelait Carlos. J'aurais pu ne pas le savoir. Cela n'aurait rien changé à ma vie. Il n'était qu'un client. Je souhaitais en avoir beaucoup comme lui. Des qui ne parlaient pas, se contentaient de payer, ne demandaient même pas un verre d'eau, ne racontaient pas leur vie.

Dix-huit heures trente. Cette ponctualité pouvait paraître suspecte dans un pays où les gens ne l'étaient point et s'en enorgueillissaient. Elle m'agaçait en tout cas. Je me surprenais à l'attendre. Hier soir il m'a dit son prénom. Carlos. J'ai eu envie de lui dire quelque chose de blessant, genre pourquoi il ne portait pas des pantalons à sa taille, des chemises sans rayures. Il ne m'avait rien fait. Il m'avait proposé de m'apporter à manger désormais tous les soirs. J'avais dit non. Fallait pas qu'il commence à croire qu'il a une obligation quelconque ou des droits vis-à-vis de moi. On ne devait même pas savoir que je « recevais ». Enfin, c'est ce que je voudrais, mais tout le monde savait tout dans la Cité. Rien n'échappait à Élise. Soline venait me voir de temps en temps, je n'aimais pas la manière dont elle regardait partout en reniflant comme si elle cherchait à découvrir quelque chose, j'allais finir par le lui dire. J'étais désormais une adulte et j'entendais me débrouiller seule.

Je les connaissais bien, ceux qui faisaient semblant d'aider, devenaient envahissants, intrusifs et n'étaient guidés que par leurs intérêts. Comme Fénelon.

La première fois ce fut avec lui, Fénelon. Cette vieille canaille qui voulait prier avec tout le monde, toujours flanqué de sa femme Yvrose, maigre, avec une grosse tête comme les nombreux enfants de la Cité qui naissaient avec des hydrocéphalies, et ses robes à fleurs, trop amples, sa Bible toujours fourrée sous ses aisselles.

Deux semaines après le décès de Ma, il était venu prier avec moi pour m'aider à supporter le deuil. Elle était bien belle sa compassion ! Il avait commencé à me toucher, se foutant de la présence de Tonton qui ronflait dans la pièce à côté. Il avait une odeur de vieux, et son haleine sentait la menthe forte. J'avais envie de le griffer, de le mordre, de lui cracher dessus. J'ai pensé à Mimose. Je l'avais bien vu lui mettre la main sous la jupe, j'avais entendu ses gémissements de sale bête, je l'avais vu lui glisser de l'argent dans les mains. Pauvre Mimose. Au fond j'avais toujours détesté cet hypocrite de Fénelon.

J'avais moi aussi besoin d'argent. Comme Mimose avait dû en avoir besoin. Je ne l'avais pas compris. J'étais trop jeune.

— Pas ici, lui avais-je dit. Allons ailleurs. Je sens qu'ici Grand Ma m'entend et me voit.

Il avait hésité et souri, montrant des dents de devant liserées d'or et envoyant une forte odeur de menthe.

Pourriture ! pensai-je.

Nous avions pris rendez-vous. Je devais le retrouver le lendemain dans la journée à l'hôtel Le Lambi, à Mariani. Ce n'était pas bien loin, mais il y avait beaucoup d'embouteillages à cause des commerces qui jonchaient le bord de la route, des voitures de transport public qui s'arrêtaient n'importe comment, des piles de terre et d'immondices surtout pendant la saison des pluies. Il m'avait donné un peu d'argent pour le transport, juste de quoi payer l'aller-retour.

— Tu auras beaucoup plus après, m'avait-il dit avec un sourire carnassier en m'envoyant une bouffée de menthe qui me flanqua un haut-le-cœur.

J'y étais allée bravement. C'était la première fois que je sortais de la Cité depuis les funérailles de Grand Ma.

J'avais mis mes baskets blanches, mon jean bleu et un t-shirt rose. Avec mes cheveux retenus à l'arrière par un chouchou, j'avais l'air d'avoir treize ou quatorze ans, et les gens m'appelaient «petite» ou «Ti chérie», étaient bienveillants avec moi.

Fénelon était arrivé avant moi. L'hôtel était désert. Un endroit qui sombrait dans l'oubli, recouvert de poussière. Une ancienne gloire de la sortie sud de la capitale que tout un chacun semblait s'être donné le mot pour abandonner. Je l'ai trouvé repoussant avec ces conques que l'on appelait plus couramment «lambi», collés un peu partout sur les murs, d'où peut-être le nom «Le Lambi». Le réceptionniste, un homme grisonnant, m'avait lancé un regard plein de reproches au-dessus de ses lunettes. Il avait dû en voir pas mal déjà, ce vieil établissement était devenu un hôtel de passe. J'avais affronté son regard bravement. J'avais envie de lui dire que j'étais plus vieille que je ne paraissais, mais que ce que je faisais ne le regardait pas, je n'avais jamais eu de père.

Fénelon avait laissé des instructions. Une jeune fille à la taille très fine qui semblait totalement indifférente au monde qui l'entourait m'accompagna à la chambre. Tout était brun et sombre. Sur les murs étaient accrochées des carapaces de tortues. Fénelon ouvrit quand elle toqua légèrement à la porte. La jeune femme avait tourné les talons sans un mot. Fénelon m'avait souri. J'avais baissé la tête. Il portait une chemisette blanche sans manches, et la chair molle et plissée de ses bras tremblotait. Son pantalon marron, un peu trop grand, était retenu par une ceinture dont le faux cuir s'écaillait. Il était sûrement plus âgé que Grand Ma.

La chambre ressemblait assez à Fénelon. Elle était dans son jus, comme le reste de l'hôtel. C'est vrai que les maisons de la Cité n'étaient pas très chouettes mais là on sentait que le temps s'était arrêté, que personne n'y vivait. Le mur était tapissé d'un papier peint jaune et marron, presque de la même couleur que les carreaux du parquet. Les meubles, fabriqués sur mesure, bringuebalaient.

Je me suis regardée dans le miroir. Il était tout aussi vieux ce miroir, un peu roussi à cause de la proximité de l'eau salée sans doute. J'avais le visage osseux et d'une telle banalité ! J'ai préféré détourner mon regard vers le tableau accroché au mur. Une femme habillée en paysanne appuyée sur un tambour. Les côtés de la toile se détachaient et c'était franchement vilain. Fénelon n'était pas du tout intéressé par le décor de la chambre, il dénouait les lacets de ses chaussures. On avait frappé légèrement à la porte. Il s'était levé pour ouvrir. C'était la jeune fille à la taille fine. Elle apportait deux Coca Cola et des verres en plastique avec des glaçons sur un plateau ainsi qu'un rouleau de papier toilette. J'aurais préféré une bière, mais Fénelon était trop pieux pour boire de l'alcool ou pour se trouver en présence de quelqu'un qui en consomme.

Il s'était approché de moi, il avait gardé ses chaussettes, comme ceux que portaient les sportifs, qui avaient dû être blanches dans une autre vie et qui étaient maintenant jaune pipi.

— « Ma prinnncesse », me souffla-t-il, comme s'il y avait trois « n » dans le mot princesse.

Je m'étais levée brusquement et dis que je voulais aller aux toilettes. Pour le fuir. Mais j'avais bien conscience que toute fuite était impossible. Je suis entrée dans la salle de bain. Elle sentait mauvais. Très mauvais. Le réservoir des W.C. n'avait pas de couvercle. Il ne fonctionnait pas. Un seau rempli d'eau destinée à chasser le W.C. était posé par terre.

Quand je suis ressortie, il avait un verre de Coca Cola à la main, il avait enlevé son pantalon et arborait maintenant un slip bleu foncé. C'était trop pour moi. J'avais fermé les yeux et m'étais assise au bord du lit qui couina affreusement. Il se collait contre moi en répétant son antienne, « princesse », avec au moins trois « n ». Il m'avait renversée sur le lit qui criait à ma place, tant les grincements étaient douloureux. Il avait enlevé mes chaussures, mon pantalon, mon maillot rose et ma petite culotte à fleurs. Il grognait comme un porc. Il s'était déshabillé, et je sentais son corps plissé et tiède contre le mien qui ne ressentait rien.

Il se frottait abominablement contre moi, torturant le lit, sans jamais arriver à obtenir une érection. Finalement il avait introduit deux doigts dans mon vagin, les enfonçant aussi loin qu'il pouvait. J'avais crié de douleur. Je haïssais de toutes mes forces ce vieux pervers.

J'avais mal. J'avais saigné un peu. Je me suis habillée sans le regarder. Il fallait que je me lave avec du gros savon pour faire partir de mon corps cette odeur de menthe et de bave, j'ai pensé à Ma qui me brossait furieusement les dents quand je disais un gros mot. Je venais de comprendre la dimension purificatrice de l'action. Il fallait que je rentre tout de suite à la maison.

Je m'étais finalement résignée à regarder dans sa direction. Il était assis sur le lit, la tête dans les mains. Je voyais ses côtes, ses fesses plissées. Il était maigre.

— J'étais très bon avant, tu sais.

J'avais sursauté en entendant sa voix chevrotante. Qu'est-ce que je m'en foutais ! Je voulais juste qu'il me donne l'argent promis pour me casser. J'avais poussé le rideau jaune avec des petites fleurs roses, très sale, pour regarder par la fenêtre d'où l'on pouvait voir un balcon étroit, pavé également de conques, et la mer qui le balayait. On avait dû décimer les mollusques pour avoir autant de coquilles dans l'hôtel. La mer était sale. On y voyait flotter des îlots de bouteilles en plastique et de fatras, et j'avais toujours très mal au vagin.

J'avais senti ses mains sur mon épaule et l'avais repoussé violemment. Il avait des traces de larmes sur ses joues creuses. Il pleurait sa virilité perdue. Il était désespéré. J'avais pris tout ce qu'il avait comme argent et lui avais laissé l'exact montant qu'il m'avait donné pour l'aller-retour de Le Lambi à la Cité : cinquante gourdes.

Je m'étais acheté un téléphone et un forfait Internet. L'appareil était de la marque ZTE. C'était le meilleur marché des téléphones intelligents. Un objet rêvé dont Ma n'avait jamais admis l'importance. Comme Natacha, comme Pierrot, comme tant d'autres, j'allais moi aussi pouvoir faire des photos, ouvrir des comptes Twitter et Instagram. J'avais mis tout l'argent pris de Fénelon dans cet objet lumineux, une vraie fenêtre sur des choses qui m'étaient jusqu'ici inaccessibles.

Je pensais beaucoup à Mimose. Je voulais essayer de la retrouver. Je me sentais sale depuis cette histoire sordide avec Fénelon. J'avais pensé à aller mettre le feu chez lui, pour le faire disparaître, effacer par la force ce souvenir que nous partagions. Je n'ai pas osé. Yvrose ne m'avait rien fait. Le guetter, le poignarder mortellement avec le couteau qui servait à Grand Ma pour découper ses gros morceaux de viande me semblait une bonne idée aussi. Le plan était vite tombé à l'eau, je n'avais jamais tué personne. J'avais pensé demander à Pierrot, mais il aurait fallu que je lui explique ce qui était arrivé. J'avais compris que même en l'enrobant de mensonge j'aurais honte. Pendant toute une semaine, tout sentait la menthe, comme son haleine. J'avais la nausée.

J'avais demandé à Livio s'il se rappelait de Mimose, s'il savait où elle habitait. Il était tout surpris que je me souvienne d'elle. Il avait souri en me montrant des dents piquées de petits trous noirs.

— Elle habite à Source Bénie, elle y a son commerce de friture. Elle est partie vivre là-bas avec ses enfants quand elle a laissé ta grand-mère. Elle avait rencontré un homme qui habitait là-bas, elle s'est placée avec lui.

Cela m'avait troublée que Livio dise qu'elle avait laissé Grand Ma, j'aurais voulu lui expliquer ce qui s'était passé, je n'avais pas les mots, Livio ne comprendrait pas non plus.

On ne s'épanchait pas par ici. À moins d'avoir perdu un proche. On acceptait avant et pendant les funérailles les gémissements, les pleurs, après chacun retournait à ses propres douleurs, souvent plus violentes que la mort même, délivrance ultime et souhaitable dans certains cas.

Il fallait longer le boulevard Harry Truman presque au niveau de l'église Sainte-Bernadette pour arriver à Source Bénie. Il fallait, après être descendu de la mototaxi, descendre une pente casse-gueule. C'était un immense ghetto, les rares arbres qui y existaient étaient couverts de poussière, et des sacs en plastique pendaient aux branches comme des fruits. L'ambiance était différente d'un village à un autre. Source Bénie était moins bruyante que la Cité de la Puissance Divine. On entendait çà et là des réunions de prières, des commerçants faméliques étaient assis un peu partout et haranguaient des enfants qui, avec beaucoup d'adresse, faisaient rouler un cercle en fer et menaçaient de faire tomber les quelques marmites de lait, les vieilles chaussures étalées sur un tréteau et la chaudière dressée sur un petit réchaud artisanal au charbon dans lequel cuisait, dans une huile bouillante, le morceau de pâte de farine fourré de harengs, de tomates, de piments, d'œufs durs quelquefois, le *pate kòde*[1], dont la marchande n'était autre que Mimose.

Il ne m'avait pas été difficile de la trouver. Son négoce était à l'entrée. Elle était maigre, avait un foulard jaune qui lui cachait les cheveux, une robe noire sur laquelle il y avait des traces de farine. Je voyais par les plis qui lui barraient le front qu'elle était concentrée. Le feu rougeoyant dégageait une forte chaleur, et la cendre que soulevait le vent lui entrait dans les yeux, tombait sur les vêtements de tous ceux qui se trouvaient à proximité. Deux hommes, probablement des maçons, une jeune femme en short, attendaient leurs *pate kòde*.

1 Chausson frit avec une garniture d'oignons, tomates, choux et hareng saur.

Elle n'avait pas beaucoup changé, Mimose. Quelle devait être sa vie aujourd'hui, à part ce que l'on voyait, ce qu'elle laissait voir ? J'aurais souhaité pouvoir lui parler, lui dire combien je regrettais ce que je lui avais fait. Elle devait se souvenir vaguement de moi, ou pas du tout. Plus d'une décennie s'était écoulée depuis qu'elle avait été chassée par Grand Ma. Je suis allée me mettre debout à côté des clients qui attendaient, personne n'a fait attention à moi. Ça sentait très bon, deux *pate kòde* se trouvaient dans la chaudière un peu trop petite, et visiblement ils passaient de la couleur un peu jaune pâle de la farine mélangée à de l'eau salée à une couleur dorée qui faisait venir l'eau à la bouche. J'en commandai un. Mimose me répondit, sans même lever la tête, qu'il n'y en avait plus. Son stock de farine était terminé.

Elle n'avait pas reconnu ma voix, elle ne me reconnaissait pas du tout. Peut-être même avait-elle oublié cet épisode de sa vie.

Il était presque midi, j'ai marché sans trop savoir si je prenais le bon chemin pour sortir de Source Bénie. Ce n'était pas grave, j'allais enfourcher le premier taxi moto qui passe. Cela m'avait calmée de revoir Mimose.

J'avais très faim quand j'ai rencontré Carlos. Je revenais de chez le pasteur Victor où j'avais passé un moment afin de pouvoir recharger la batterie de mon téléphone. Je me promenais tout le temps avec le chargeur, la batterie était vite à plat, j'étais tout le temps sur les réseaux sociaux, l'électricité était rare, le réseau était constamment en panne à cause des prises illégales comme celle de chez moi. Du plus loin que je me souvienne, nous avons toujours eu l'électricité à la maison sans jamais l'avoir payée. Andrise, l'épouse du pasteur, m'avait félicitée pour mon nouveau téléphone, je n'ai pas osé lui dire que j'avais faim. Je lui ai dit que j'allais bien, que Grand Ma avait laissé quelques gourdes qui suffisaient pour le moment. Elle m'a appris qu'elle priait pour moi tous les jours.

Le jour déclinait, et j'avais l'estomac qui gargouillait. J'aimais bien la rue des Ficelles, elle était pavée, c'était l'une des rares à l'être dans la Cité. Je m'étais appuyée contre un mur sur lequel était peinte une publicité pour une boisson énergisante dont la vertu était de donner de l'endurance sexuelle aux hommes quand j'ai entendu quelqu'un étouffer un rire.

Il était là avec sa chemise à rayures, son pantalon gris, son corps boudiné.

— Une jeune fille ne devrait pas s'appuyer sur une publicité pour ce produit-là.

— J'aurai quoi ?

Il avait encore ri et s'était mis à m'expliquer que c'était un truc contre les femmes.

— Tu y as déjà goûté ?

— Jamais.

— Je peux t'offrir une cannette, le marchand au coin de la rue en vend.

— Je préférerais manger.

C'était sorti tout seul. Il m'a demandé de le suivre. On a marché jusqu'à la rue parallèle. Nous sommes entrés sous une tonnelle où étaient rangées des tables et des chaises en plastique, il semblait être un familier de l'endroit. C'est un monsieur qui tenait le négoce. Ils ont échangé une poignée de main vigoureuse. L'endroit avait un nom, « Chez Morel », c'était écrit à la peinture au dos des chaises en plastique blanc. Le mercredi c'était le jour de la soupe et c'était la meilleure de toute la Cité, a précisé Morel. Cela m'était complètement égal, j'aurais mangé n'importe quoi.

Elle était en effet bonne, cette soupe. Le piment très fort qu'elle contenait me faisait venir la morve au nez. C'était une orgie de vivres et de viandes que je n'arrivais pas à identifier, sauf la banane plantain, elle me donnait toujours le hoquet, je ne prenais pas assez de temps pour la mastiquer. Je n'avais pas pu finir mon assiette, j'avais demandé à partir avec le reste. Il fallait que je rapporte quelque chose à manger à Frédo, il n'avait que moi.

Carlos m'avait raccompagnée sans que je ne le lui demande. Nous n'avions presque pas parlé. Nous n'allions pas continuer avec cette conversation sans intérêt sur la boisson qui aidait les hommes à avoir des érections qui durent. D'hommes je n'avais connu que Fénelon et cela me donnait à chaque fois le même haut-le-cœur.

Je ne savais pas ce qu'il espérait le premier soir, mais je lui avais lancé un au revoir sec devant la galerie. Il était revenu le lendemain, vers dix-huit heures trente. J'étais assise devant, sur la chaise à bascule de Ma, et c'était au moins la quinzième fois que je me photographiais sans jamais être satisfaite. Il était là à me regarder sans rien dire. Je lui avais demandé tout de go s'il avait de l'argent. Il avait hésité avant de répondre oui. Je l'avais invité à entrer. J'avais l'impression qu'il m'obéissait.

Il était tendre. Il avait essayé de m'embrasser, j'avais tourné la tête. Il faisait déjà noir et je n'avais pas allumé la lampe à kérosène. L'obscurité nous convenait à tous les deux. Il était lourd. Il avait passé beaucoup de temps à me caresser. Sans jamais parler. Je lui fus reconnaissante pour cela. Je n'aimais pas trop parler. Je n'avais rien à dire. Il m'avait demandé après si je voulais aller manger chez Morel. J'avais dit non. Je préférais qu'il me donne cinq cents gourdes. Il m'en avait tendu mille. C'était plus que le salaire minimum, c'était plus que ce que gagnait pendant une semaine la plupart des habitants de la Cité.

Des cités, il n'en manquait pas. Des ghettos. Des cloaques avec des habitations sauvages, dont les habitants entraient dans des affrontements absurdes et cruels dont ils ne connaissaient pas très bien les motifs ou qu'ils avaient vite oubliés tant ils étaient sans importance.

Bethléem était la cité la plus proche de la Puissance Divine. Le territoire ennemi aussi. Celui qui avait une fois valu une alliance de courte durée entre Makenson et Freddy. Elles se gardaient à bonne distance, tout le monde était armé, avait « des manches » comme ils disaient entre eux. Ils s'entretuaient pour le plaisir, sous des prétextes farfelus. L'un des affrontements les plus sanglants entre eux avait eu lieu parce que Fanfan Le Sauvage avait fait courir le bruit que les membres du gang de Makenson étaient tous homosexuels. C'était pour eux la pire injure qui pouvait exister. Même les homosexuels étaient contre l'homosexualité. C'étaient même les plus virulents, les plus radicaux. Les habitants des deux cités avaient passé près d'une quinzaine de jours sans pouvoir mettre le nez dehors. Grand Ma avait dû jeter aux chiens la viande de porc qu'elle avait achetée pour son commerce. Dieu seul sait combien elle avait tenu, disant que si elle l'épiçait comme il faut, les clients percevraient bien qu'elle était un peu faisandée mais se résigneraient, ce ne serait pas la première fois que cela arriverait ; elle ferait de plus gros morceaux pour le même prix.

Au bout de huit jours, le vieux Nestor avait appelé au téléphone pour demander s'il y avait un cadavre dans la maison. Grand Ma s'était énervée au point de vouloir lui expliquer que certaines parties du corps humain pouvaient aussi dégager de mauvaises odeurs, de vérifier chez lui, mais s'était ravisée tant elle était elle-même incommodée par l'odeur.

Elle avait fait bouillir la viande à l'intérieur même de la chambre. Nous en avions mangé autant que nous pouvions. Tonton et moi avions été malades. Au bout du douzième jour, la viande était devenue friable, inconsommable.

Quand les armes s'étaient tues, malfrats et victimes collatérales se comptaient par dizaines. On brûlait et enterrait les soldats morts, Il était très rare que les familles réclament les dépouilles.

Je suis allée deux ou trois fois à Bethléem, avec Natacha. Il n'y a pas d'intérêt particulier à s'y rendre, c'est aussi pauvre, puant, bruyant que la Puissance Divine. Ce qui les différenciait fondamentalement, c'est qu'à Bethléem les maisons étaient construites dans des ravines et sur leurs flancs, ravines dans lesquelles on jetait beaucoup de fatras. Le terrain était plutôt plat à la Puissance Divine avec d'innombrables rigoles aux eaux noirâtres dans lesquelles flottaient des bouteilles en plastique de toutes les couleurs, des assiettes en polystyrène et toutes sortes de rebuts non dégradables. C'est au hasard de la misère que l'on se retrouvait à Bethléem ou à la Puissance Divine, et les déménagements d'une cité à l'autre étaient courants. Fany et sa sœur Élise avaient d'abord habité Bethléem, elles en étaient parties, se sentant menacées par la toute-puissance de Fanfan Le Sauvage qui avait appris que Fany le dénigrait ouvertement.

Fany croyait fermement que Fanfan était responsable de la mort de Pipo, qu'il l'avait jeté en pâture à Franzy Petit Poignet et se désolait que personne ne puisse lui demander des comptes. C'était comme si son Pipo n'avait jamais compté, jamais existé, lui qui avait été si dévoué, si fidèle au chef de gang. Les cauchemars de Fany, ses râles, ses cris de jouissance réveillaient parfois les maisons voisines, les tisanes qu'elle avalait l'après-midi ne la guérissait pas, on disait qu'elle et sa sœur avaient « la maladie d'amour », et elles faisaient partie des sujets préférés de Livio pendant les veillées.

Déménager à la Puissance Divine, pour Fany, avait été comme passer dans l'autre camp, mais personne ne s'intéressait à savoir ce qu'elle pensait, encore moins sa frangine, trop bavarde, dont le délire sur ses amants imaginaires fatiguait tout le monde. Freddy attendait d'elles qu'elles restent tranquilles, elles n'étaient ni l'une ni l'autre des supports importants, elles n'avaient même pas de quoi payer le minimum qu'il imposait aux riverains de la Cité de la Puissance Divine.

Bethléem, de l'autre côté de la grande artère, la parodie de la ville natale de Jésus, aussi loin de tout que la Puissance Divine, était un autre lieu perdu au cœur même de la capitale, un furoncle parmi d'autres, comme Source Bénie, Mains de Jéhovah, desquels on détournait le regard mais dont le bruit et l'odeur entraient par tous les interstices des maisons bourgeoises et de classes moyennes tant elles étaient craintes, tant elles étaient géographiquement incontournables. Il fallait, pour atteindre le Grand Sud, passer au milieu ou à côté de ces décharges humaines, et recevoir de plein fouet cette vérité que certains d'entre nous feignaient de ne pas connaître : les inégalités sont trop criantes.

Personne ne pouvait expliquer rationnellement l'origine de cette détestation réciproque entre les cités Bethléem et la Puissance Divine. Certains osaient le jeu cynique de la comparaison entre les dégradations, la misère, la bravoure, la violence des gangs et les dimensions des fesses des femmes. Je ne comptais pas dans cette dernière statistique, j'aurais certainement voulu être bien en chair, maintenant que je « recevais » pour m'occuper de moi et de Tonton. Il y a plein de pays à l'intérieur de ce pays, je me promettais un jour d'aller voir, de sortir la tête, même si c'était plus compliqué avec Tonton sur les bras.

Ce téléphone est mon lien avec le monde désiré. Grand Ma écoutait beaucoup la radio. Les nouvelles. De la musique locale. La télé n'était que pour moi. Depuis qu'elle nous a quittés, Tonton et moi, je m'invente une vie sur Facebook. Je suis « Cécé La Flamme », le nom m'était venu comme ça. Ce ne devait être qu'un jeu. Je disais vouloir mettre le feu partout, que c'était la seule condition à la rédemption des ghettos. Ma photo de profil était un selfie pris de près, les cheveux tirés en arrière, la bouche peinte avec un rouge à lèvres bleu que j'avais acheté au marché de Martissant. Juste le visage. Je ne montrerais jamais mon corps ingrat sans y être obligée. Carlos disait que j'étais mince, que c'était très bien, à se demander pourquoi lui il ne l'était pas. Si j'avais le corps aussi épanoui que celui de Natacha, c'est sûr que je ne verrais pas que lui quasiment. Pierrot venait de temps en temps aussi, il n'arrivait pas à fermer sa gueule, toujours à déverser ses préoccupations, la peur de ne plus être dans les bonnes grâces de Joël, son bras cassé qui n'avait pas vraiment guéri, sa fébrilité. Il était plus jeune que moi d'une année, il voulait à tout prix me prouver qu'il avait de l'expérience. Pour moi c'était clair que j'étais sa première fois, mais il me parlait de femmes de tous types, de toutes nationalités qu'il avait connues en caressant son arme qu'il gardait près de l'oreiller pour m'impressionner. Mais lui il ne me collait pas comme Carlos qui osait m'appeler pour me parler de sentiments qu'il aurait pour moi. Je ne pouvais pas tenir ce genre de conversation, je ne savais pas quoi lui répondre. Il était trop sincère. Il me décontenançait. J'imaginais son visage rond, imberbe, inquiet, sa chemise humide parce qu'il transpirait tout le temps, et je raccrochais pour aller commenter ce que postaient les autres, même sur des sujets dont j'ignorais tout. C'était comme ça, il fallait juste parler, pour être présente, j'avais furieusement besoin d'exister.

Beaucoup de ceux qui étaient en interaction avec moi sur Facebook me demandaient si, moi aussi, j'étais membre d'un gang, je ne répondais pas, s'ils insistaient je leur enlevais «mon amitié». Cette façon mécanique d'enlever son amitié n'avait rien de choquant ni de brutal, on entrait en amitié de la même manière, mais c'était néanmoins sérieux, nous jouions tous nos vies, celles rêvées, qui étaient nettement plus importantes et plus réelles que celle que nous vivions.

Du feu. Du feu. Pour la purification, un nouveau départ. Du feu comme une menace dans des cités inflammables. Je ne savais pas bien écrire. J'étais moquée quelquefois pour les fautes que je commettais. Mais tout le monde en faisait. En créole ou en français. Le bilan de mes années scolaires, malgré les efforts de Ma, était fort discutable. Je n'avais pas l'impression d'en savoir plus que Soline qui n'était pas restée plus de trois ans à l'école. L'important c'était l'impertinence, la radicalité. Je ne pensais pas la moitié de ce que je postais. Le succès m'était tombé sur la tête. Je postais principalement des photos de plats que j'achetais chez Morel, de mes pieds, des rigoles de la Cité, de cadavres que je croisais sur ma route.

Les cadavres avaient beaucoup de succès. Plus que les vivants. Il fallait du glauque, du violent. La faim, le choléra, les épidémies de rougeole ou de malaria, tout le monde s'en foutait. Rien de mieux pour attirer l'attention qu'un bon cadavre tout chaud ou tout pourri. Ce n'est pas l'odeur qui comptait.

Joël m'avait convoquée. C'est Pierrot qui était venu me chercher. C'était un samedi matin. Il n'était que dix heures. Je dormais encore. Enfin j'étais presque réveillée. Il y avait beaucoup de bruit, plein de gens qui passaient avec des seaux d'eau, qui riaient, parlaient fort. La musique des voisins était forte aussi. Elle venait de toutes parts. Tonton Frédo ronflait. Il avait trop bu, comme d'habitude.

On avait frappé. Doucement. Puis fort. Très fort. J'avais fait un effort pour enlever l'oreiller que je m'étais mis sur la tête pour amortir les bruits. Ce ne pouvait être que Voisine Soline qui continuait à essayer de me faire croire qu'elle avait autorité sur moi depuis la mort de Grand Ma. Je suis allée ouvrir, pieds nus, les cheveux en bataille, habillée avec le petit short bleu que je portais pour dormir et le t-shirt sur lequel était écrit en vert « Ministère de l'Environnement », je ne me souvenais plus comment je l'avais eu.

Pierrot était devant la porte, il portait des lunettes noires sur lesquelles était encore collée l'étiquette, il ne devait pas les avoir depuis longtemps, un maillot de corps avec des taches suspectes, Ma aurait été dégoûtée, une chemise en jean, ouverte, un pantalon bleu marine avec de grosses poches à côté, comme ceux des agents de police. On voyait bien son arme sous la chemise.

— Qu'est-ce que tu veux à cette heure ?

— Tu dois me suivre.

— Quoi ?

— Le Chef veut te voir. Va te changer.

— Pourquoi veut-il me voir, qu'est-ce que j'ai fait ?

— Je ne sais pas. Va t'habiller. Je suis obligé de t'amener à lui.

Il était grave. J'avais peur. Je ne voulais pas qu'il le voie. Joël allait-il me tuer ? J'avais tellement entendu d'histoires de gens que l'on avait fait chercher chez eux et qui n'étaient jamais revenus. On supposait que certains cadavres démembrés, brûlés dans les ravines aux alentours étaient les leurs. Pierrot m'avait suivie dans la chambre, il avait peur que je ne m'échappe alors que la maison n'avait qu'une seule porte. Ma fuite aurait signifié sa mort à lui. J'avais enlevé mon short, enfilé un jean, remplacé mon maillot par une chemise blanche que ma grand-mère m'avait offerte, il fallait que je présente bien, je vivais peut-être les derniers moments de ma vie. J'avais honte en enlevant mon haut, Pierrot ne me quittait pas des yeux, il paraissait ému, il pouvait voir mes côtes, mes seins trop menus. J'avais évité son regard. Je ne me déshabillais devant mes rares clients que dans le noir, la plupart du temps ce n'était même pas utile, je n'enlevais que le bas.

Je ne sentais plus mes jambes. Je voulais voir Tonton une dernière fois peut-être, lui parler ne serait pas possible, je n'allais pas pouvoir le réveiller. Pierrot était aussi gêné que moi. Il avait peur, je ne savais si c'était pour lui-même ou pour moi.

Quand nous sommes sortis de la maison, tout le monde nous regardait. Il m'escortait. Fany, en nous voyant, avait mis les deux mains sur sa tête comme si elle allait pleurer. Il fallait marcher une dizaine de minutes de chez moi à « la base ». Il n'y avait que les membres du gang qui pouvaient s'approcher de cette construction de deux étages, en béton, inachevée, entourée de hauts murs en parpaing non enduits de ciment. On avait dû me voir arriver de loin, un homme aux vêtements chiffonnés avait entrepris de faire glisser le gros portail en fer.

La cour était grande, une grosse cylindrée de la marque Toyota était garée à côté de la maison inachevée. Le sol tout autour du véhicule était mouillé, il venait visiblement d'être lavé. Le premier étage était encore un projet, il n'y avait que des murs en attente d'un toit. Toutes les maisons en béton de la Cité étaient en attente d'un étage supplémentaire. Une terrasse très grande faisait face à la cour et était meublée d'une vieille chaise de bureau au cuir fendillé, une chaise à bascule avec un coussin jaune. Une table basse sur laquelle étaient posées des cartes et des dominos se trouvait au milieu des deux chaises. La peinture crème des murs était par endroits écaillée. Des numéros de téléphone étaient notés à la plume à même le mur. La céramique grise brillait. Un rideau blanc, épais, protégeait l'intérieur des regards. J'aurais voulu voir la pièce qu'il cachait et les nombreuses autres. Il se racontait qu'il existait des cellules dans la maison pour garder les gens qui étaient enlevés et pour lesquels ils demandaient de fortes rançons aux familles qui n'étaient pas toujours certaines de les récupérer, même après avoir payé.

Pierrot m'avait demandé d'attendre. Il s'était dirigé derrière la maison. Plusieurs hommes armés de fusils automatiques faisaient les cent pas dans la cour ou étaient assis sur un muret qui entourait un arbre effeuillé. Derrière ce muret des dizaines de bouteilles de bière vides, des cannettes de boissons énergisantes, de vieilles assiettes en carton avaient été jetées pêle-mêle. Ils avaient l'air fatigués. Leurs chemises et t-shirts étaient troués, par des brûlures de cigarette. Ils étaient aussi jeunes que Pierrot, l'un d'entre eux avait les bras, le cou tatoués, et beaucoup de muscles, un autre des dreadlocks qui lui arrivaient à la taille, un complètement chauve, très nerveux, n'arrêtait pas de se racler la gorge et de cracher, un grand maigre avait deux révolvers à la ceinture et une arme automatique à la main.

On ne m'avait pas invitée à m'asseoir, je suis restée près de quarante-cinq minutes debout à attendre, j'avais chaud, je n'avais eu le temps de faire aucune toilette. J'avais l'estomac qui gargouillait. À la fois parce que j'avais peur et parce que j'avais faim.

J'avais perçu tout à coup du mouvement, des bruits de pas qui avançaient dans ma direction. Deux types que je ne connaissais pas, suivis de Pierrot, avaient ouvert le rideau pour laisser apparaître Joël. Il était désormais un monsieur inquiet, avec sur le visage un masque de cruauté, une moustache qui le vieillissait et un peu de ventre, dû sans doute à l'abus de bière.

Il s'était installé sur la chaise de bureau qu'il faisait pivoter légèrement. Il portait un maillot de corps blanc sur lequel il avait un gilet pare-balles, un jean bleu et des baskets Nike gris et bleu marine. Il avait sorti son arme de sa ceinture et l'avait posée sur la table basse, faisant tomber deux dominos, que personne ne ramassa.

— *Sa k pase*?

— Ça ne va pas trop mal, ai-je répondu, surprise par sa question.

— Cécé La Flamme?

— Oui...

Il avait fermé à moitié les yeux et continuait de faire pivoter légèrement la chaise, comme pour se bercer.

— Cécé, tu te rends compte que tu as parlé beaucoup plus de Fanfan Le Sauvage que de moi sur Facebook? Est-ce que c'est un comportement acceptable pour quelqu'un qui vit à la Cité de la Puissance Divine? Que dois-je comprendre?

Il avait ouvert les deux bras en prononçant le « Que dois-je comprendre? ». J'ai eu soudainement envie d'aller aux toilettes. Je transpirais de partout.

— J'ai bien connu ta grand-mère, ce sont des comportements qu'elle aurait désapprouvés. Tu es pourtant née ici, c'est nous qui te protégeons, qui te donnons plein de privilèges. Nous faisons en sorte que les jeunes de cette cité s'en sortent, qu'ils aient de la dignité. Grâce à moi personne ne peut venir harceler les gens ici, et tu trouves le moyen de parler plus de ce cabot que de moi?

J'avais maintenant croisé les bras comme quand Monsieur Jean-Claude et Madame Sophonie me faisaient réciter mes leçons. Je ne m'étais même pas rendu compte que je parlais beaucoup plus de Fanfan Le Sauvage que de Joël.

— Je m'excuse. Je n'avais pas réalisé. J'essaie juste de parler des exactions qu'il commet, de sa brutalité...

— Tu crois que je suis un enfant de chœur, moi ?

Il s'était tu. Moi, j'étais toujours debout, cela faisait plus d'une heure maintenant et je commençais à être très fatiguée. Je me tordais les mains qui étaient moites, j'étais à un cheveu de faire pipi sur moi.

— Dites à Patience de venir auprès de moi, dit-il au bout de deux à trois minutes.

Le tatoué avait vite fait de se déplacer pour aller chercher Patience. Je n'avais jamais entendu ce prénom-là. Nous avons attendu cette personne pendant près de cinq minutes qui semblèrent longues. Sans doute à cause du silence. Joël était resté calme, regardant droit devant lui.

Le tatoué musclé avait fini par écarter le rideau de manière très cérémonieuse pour laisser sortir une belle jeune femme. Le tatoué était visiblement troublé par la dame. Elle avait embaumé la terrasse en arrivant. Je n'avais jamais rencontré quelqu'un qui sentait aussi bon. Elle portait une longue robe moulante violette sans bretelle qui laissait voir des épaules lisses. Elle avait de longues tresses faites avec des extensions qu'elle touchait machinalement montrant des boucles d'oreilles créoles. De magnifiques sandales plates avec des paillettes laissaient voir des ongles de pieds peints en rouge. Les ongles des mains, peints en rouge aussi, étaient trop longs pour être vrais. Elle avait la taille marquée et des fesses qui tremblotaient dans la robe moulante quand elle se déplaçait.

Elle s'était installée, sans un regard pour moi et pour tous ces hommes baba d'admiration devant elle, dans la chaise à bascule. Elle était très concentrée sur sa propre personne. On ne voyait pas de gens aussi soignés dans la Cité. Joël avait posé la main droite sur sa cuisse. Elle n'avait pas bronché.

— Elle a parlé combien de fois du chien de Bethléem, chérie ?

Le « chérie » était bien pesé, il envoyait un message sur la nature de sa relation avec elle.

— Vingt-trois fois, répondit Patience d'une voix grave en fixant l'écran de l'IPhone dernier cri qu'elle tenait dans sa main droite, comme si c'était le téléphone qui lui fournissait l'explication.

J'avais vu passer sur les réseaux l'image de ce téléphone, il coûtait plus d'argent que je n'en avais jamais eu en même temps de toute ma vie.

— Et de moi ?

— Trois fois.

Un murmure désapprobateur s'était élevé dans l'assistance. Je ne savais pas quoi dire. J'avais peur de ce qui allait peut-être m'arriver. Joël s'était mis à pétrir la cuisse de Patience qui restait totalement indifférente. Sa voix sortit, grave :

— Tu vas réparer tout ça. Tu vas parler de moi. Tu n'as plus le droit de parler du crétin de Bethléem, sauf pour le dénigrer. Pierrot et Cassave vont te refiler des informations de temps à autre sur tout le bien que nous faisons à la Cité de la Puissance Divine.

— Oui, répondis-je.

Le grand et maigre avait fait trois pas en avant quand Joël avait cité son nom, on l'appelait sûrement Cassave à cause de sa maigreur.

Joël ramassa son arme sur la table, fit de nouveau tomber des dominos. Tout le monde recula. Il avait remué le parfum de Patience en se levant, celle-ci continua à regarder son téléphone.

— Suis-moi, Patience, dit le chef des bandits en passant derrière le rideau que tenait le chauve.

J'avais regardé tour à tour Cassave, Pierrot, le tatoué musclé. Ce dernier me montra la barrière de sa main gauche alors que la droite tenait son arme. Le même monsieur qui avait ouvert à mon arrivée venait de rouvrir pour que je sorte, juste un tout petit peu, comme s'il avait évalué l'espace qu'il fallait à mon corps menu pour quitter « la base ».

Le chemin du retour avait été long. Plus de dix minutes à marcher sous un soleil assassin. Je me déplaçais moins vite qu'à l'aller, j'avais trop faim, trop soif. Je pensais au pain que je trempais tous les matins dans le café très sucré que j'achetais des dames du bout de la rue. Il était trop tard pour que j'aie le pain et le café, j'allais direct prendre le déjeuner, une grande assiette de riz, purée de pois, touffé d'aubergines. J'aurai de quoi en laisser un peu à Tonton. Je réfléchirai après à la matinée surréaliste que je venais de vivre.

Les voisins me regardaient avec curiosité, toute la Cité était au courant que j'avais été convoquée par le Chef. Fany et Élise m'avaient fait signe de m'approcher en me voyant, presque cachées derrière les marmites dans lesquelles Fany faisait pousser ses plantes. Elles avaient peur. J'ai fait semblant de ne pas les voir. Le vieux Nestor était debout au milieu du corridor, comme s'il souhaitait me barrer la route, j'ai bifurqué vers chez Edner, c'était le chemin le plus court pour aller acheter à manger, en espérant qu'à mon retour il ne serait plus là. Je portais le même jean la veille, j'avais deux billets de cinq cents gourdes dans ma poche droite. Je sentais que je n'avais le droit de rien dire de ce qui venait de se passer.

J'avais fermé la porte en rentrant. Soline avait frappé vers quinze heures. Quelqu'un avait dû l'appeler pour lui parler de la convocation, elle avait estimé important de laisser son commerce d'épices pour venir aux nouvelles, au nom de son amitié avec Grand Ma. Je ne lui avais pas ouvert. Le téléphone était éteint à côté de moi sur le lit. Je découvrais qu'il y avait du bon dans la déconnexion. Je pensais à Patience, à son parfum, sa beauté, son détachement. Je me suis endormie.

Les claustras ne laissaient pas passer beaucoup de lumière, la chambre n'était jamais très éclairée, c'était pratique pour se reposer pendant la journée.

J'avais dû beaucoup dormir. Je me suis réveillée en me demandant quelle heure il pouvait bien être. Je regardais le plafond, cela me détendait. La tôle grise, les lattes en bois clair sur lesquelles couraient des nids de termites jusqu'aux murs. Il était dix-huit heures, les services venaient de commencer dans les trois églises les plus proches. Je reconnaissais bien la voix de Victor qui prédisait les flammes de l'enfer et d'innommables châtiments à ceux qui ne suivaient pas les commandements de Dieu.

Ce fut d'abord un léger grattement. Ça pouvait provenir de n'importe quoi. Un passant. Un des nombreux chiens errants de la Cité. Le vent. Non. Quelqu'un avait frappé. Ça ne pouvait pas être Tonton, il avait une clé, il arrivait à ouvrir même quand il était complètement bourré.

Deux fois. Trois fois. Cinq fois.

— C'est moi…

Il était sûrement dix-huit heures trente.

— Va-t'en ! pas aujourd'hui.

— Ouvre, s'il te plaît. J'ai besoin de te parler. Sur Facebook ils disent que tu as été battue par les hommes de Joël…

Je me suis levée pour aller ouvrir. La silhouette épaisse de Carlos absorbait ce qui restait de la lumière du jour. Il portait aujourd'hui un jean avec sa chemise à rayures, et ça ne lui allait pas mieux.

Il faisait totalement noir maintenant dans la pièce. Il n'y avait pas d'électricité. Je n'avais pas d'allumettes pour allumer la lampe à pétrole. Il sortit un briquet de sa poche qu'il colla à la mèche faisant jaillir une petite flamme triste. Il posa avec beaucoup de délicatesse le verre un peu noirci sur la bobèche. Je m'étais recouchée dans le lit, sans rien dire, et lui s'était assis sur la chaise en fer un peu rouillée à côté.

— Que s'est-il passé ?

— Je n'ai pas envie d'en parler. Je ne peux pas en parler.

— Ils disent sur les réseaux que tu as été emmenée de force et maltraitée.

— Je n'ai pas été maltraitée.

— J'ai eu peur...

J'avais allumé le téléphone. Une lumière bleutée en était sortie. J'avais des dizaines de messages, autant de demandes d'amitié dont une de Patience. Dans sa photo de profil ses tresses encadraient totalement son visage et elle portait de grosses lunettes. Elle avait un rouge à lèvres rouge sang qui contrastait avec le noir de ses lunettes et de ses cheveux. J'ai brusquement senti son parfum dans la pièce. J'ai frissonné. C'était sûrement Joël qui lui avait demandé de me surveiller.

— Tu trembles. Tu as mangé ?

— Tout va bien, merci, ai-répondu sèchement.

J'étais toujours agressive avec Carlos. Je ne savais pas pourquoi. Il était pourtant bienveillant avec moi, c'était la seule personne qui se préoccupait un petit peu de moi.

Il s'était mis à me caresser les cheveux. Je l'avais laissé faire, à contrecœur. Je crois que je n'aimais aucun témoignage d'affection. Grand Ma m'aimait beaucoup mais il n'y avait pas de rapport physique entre nous, elle ne me prenait pas dans ses bras, ne me caressait pas les cheveux. J'aurais bien voulu expliquer à Carlos que nos rapports n'étaient pas ce qu'il imaginait, que je voyais quelqu'un d'autre qui me payait aussi, que si j'en avais l'opportunité je verrais autant d'hommes que je pourrais, que c'était le seul moyen que j'avais trouvé pour ne pas aller faire la manche ou me promener dans la rue en essayant de vendre des bricoles qui n'arriveraient pas à me nourrir moi et Tonton.

Il y avait des dizaines de commentaires. Certains disaient que j'avais été tuée et mon corps balancé dans une ravine et brûlé. Des gens demandaient à la police d'ouvrir une enquête, au commissaire du gouvernement de prendre ses responsabilités. Des auditeurs avaient réagi en direct sur les stations de radio toute la journée pour dénoncer les gangs, le laxisme de l'État. Une femme était intervenue au nom du gang de Joël pour dire que j'allais bien, que j'étais protégée par le Chef lui-même, comme tous les habitants de la Cité. Elle avait massivement été insultée par les internautes. C'était une énorme cacophonie, et je me trouvais au milieu. Il fallait que je poste quelque chose pour mettre fin aux débats, trouver un moyen de dire que je suis vivante. Aussi vivace que pouvait paraître une polémique sur les réseaux, elle tombait vite, il fallait seulement une autre actualité ou renvoyer dos à dos ceux qui l'alimentaient. J'ai donc écrit alors que Carlos me regardait, intrigué: « Chef Joël veut protéger notre Cité. »

J'avais éteint de nouveau, une sorte de fuite avant le déferlement de commentaires haineux. Je souhaitais que Carlos s'en aille. Je voulais aller me laver derrière la maison, je n'avais pas pu le faire de la journée, en fait il ne restait qu'un seul gallon d'eau, je n'en avais pas fait chercher depuis trois jours.

— Je pense à quitter la Cité, je fais construire une maison du côté de Tabarre, les gangs là-bas sont moins violents, c'est plus facile d'y faire du commerce, j'y implanterai ma boutique de boissons. J'aimerais que tu viennes avec moi. On pourrait travailler ensemble, faire des projets. Je pense que tu es vraiment en danger dans la Cité même si tu refuses de parler de ce qui s'est passé ce matin.

— Il ne s'est rien passé ce matin. J'aimerais que tu t'en ailles maintenant. J'ai mal à la tête.

Carlos s'était levé de la chaise, provoquant un bruit de tôle. Il était resté debout deux à trois minutes, attendant peut-être que je dise quelque chose. Il était sorti en repoussant doucement la porte, je m'étais levée et avais tourné la clé. Geste inutile, j'allai du même pas prendre ma serviette et le gallon d'eau pour aller me laver.

L'eau, il fallait aller la chercher. Loin parfois. C'était Mimose ensuite Lana qui s'en chargeaient. Grand Ma acceptait que je les accompagne quelquefois munie d'un gallon. C'était tout un périple pour en trouver certains jours. Je me souviens de marches longues et exténuantes sous le soleil, d'infinies palabres de gens qui finissaient par constituer un groupe pour partager un renseignement, une adresse où l'achat d'un seau donnait droit à un gallon. Ces promenades étaient sans doute des moments de répit pour les femmes, hommes, enfants, adolescents qui, comme Mimose et Lana, étaient des personnes à tout faire chez des gens à peine moins démunis qu'eux. Ils échappaient, pour un moment, à un travail très dur et, dans le cas des enfants et des adolescents, aux maltraitances. Certaines des femmes qui vivaient en couple, mères de plusieurs enfants, misérables, tourmentées, incapables de répondre aux exigences du quotidien, d'un mari dont on leur avait appris qu'il était le chef de la famille, alors que cela ne voulait rien dire dans la pratique, profitaient pour échanger entre elles, sans jamais vraiment s'étendre sur la dureté de leur quotidien, par pudeur et parce qu'elles gardaient espoir que leurs vies s'amélioreraient.

La vente de l'eau était un commerce important dans la Cité, où il fallait savoir se débrouiller, inventer quelque chose à faire, quitte à casser des pierres pour en vendre les morceaux à ceux qui avaient les moyens de construire des maisons en dur. Plusieurs riverains avaient fait fabriquer des citernes qu'ils remplissaient à l'aide de camions. Quelquefois on attendait longtemps qu'un de ces véhicules au gros ventre vienne livrer l'eau. C'était le propriétaire de citerne qui avait le plus d'accointances avec les chefs de gang qui était servi dans les périodes où cela chauffait et que la Cité faisait la une de la presse à cause des tirs, des morts, et pendant lesquelles tous les politiques et ceux qui aspiraient à le devenir donnaient des interviews à la radio sur la vie dans les quartiers difficiles qu'ils n'avaient la plupart du temps jamais visités. Le précieux élément devenait alors plus cher. Il doublait même de prix. Il fallait graisser la patte de plusieurs seconds couteaux qui donnaient du « patron » « patronne » aux commerçants. Toutes les violences étaient permises et comprises dans ces lieux fragiles.

Grand Ma savait également louer les services de Livio pour « charrier l'eau », c'est le terme qu'elle employait. Il était bien content d'avoir une activité lucrative. Il n'était pas payé pour animer les veillées pendant lesquelles il sortait des histoires tellement grivoises que certaines femmes pieuses s'informaient de sa présence ou pas avant de se décider à se rendre à l'une de ces soirées. Livio avait le milieu du crâne échevelé, à force d'y avoir déposé de lourds récipients chargés d'eau. Il marchait vite dans ses vêtements déchirés, ses chaussures en plastique brun rosé et souriait on ne sait à qui et pourquoi, peut-être des gags qu'il inventait en prévision de prochaines veillées à mesure qu'il faisait des allers-retours.

Je continuais à faire appel à lui pour cette tâche ingrate. Tonton et moi n'avions pas beaucoup de besoins en eau, il nous en fallait juste pour nous laver une fois par jour, faire une petite lessive de temps à autre. Livio remplissait au besoin le grand récipient en plastique bleu qui se trouvait dans un coin de la pièce. Les gallons aussi, récupérés après que Ma avait utilisé l'huile ou le vinaigre qu'ils contenaient. Il y en avait une cinquantaine avant le décès de Ma, ils prenaient toute la place dans la chambre, j'en avais fait cadeau à Soline principalement, au vieux Nestor, à Fany, il n'en restait plus que dix.

L'eau était toujours tiède, peu importait l'heure du jour où de la nuit où on l'utilisait. Le toit de la maison était bas, le soleil tapait fort, l'agitation constante de la Cité devait y être pour quelque chose aussi, me disais-je. Carlos m'avait dit qu'il ne fallait pas que je boive de cette eau recueillie dans des rivières, transportée dans des camions, versée dans des citernes jamais nettoyées et qui restait conservée plusieurs jours dans ces récipients. Grand Ma l'avait bien bue toute sa vie, cette eau, moi aussi, et rien ne nous était arrivé, du moins nous n'avions lié aucune de nos diarrhées ou fièvres à l'eau que nous consommions, j'avais néanmoins suivi son conseil. Je m'étais mise à acheter des petits sachets d'eau ou des bouteilles. Je n'arrivais même plus à envisager de boire l'eau rapportée par Livio. Je comprenais aussi pourquoi la Cité était tapissée de ces sachets boueux, de ces innombrables bouteilles en plastique de toutes les couleurs dans lesquelles on vendait également des boissons énergisantes, sodas, jus.

Carlos essayait de me montrer ce qu'était la laideur. Il parlait d'environnement, de catastrophes. Le tremblement de terre de 2010 ne serait selon lui qu'un début. Je ne le suivais pas vraiment quand il partait dans ces discours longs et plutôt savants, mais je n'avais pas pu m'empêcher de le regarder quand il avait parlé de pires catastrophes que le dernier séisme. Ce ne pouvait tout simplement pas être possible. J'étais encore jeune mais je me souviens des morts, des cris de douleur, de désespoir, du brouhaha.

— Tu n'as rien à faire ici, viens avec moi, disait-il dans un souffle en essayant de me prendre la main que je m'empressais de mettre dans la poche de mon jean.

Je ne répondais pas. Je ne réagissais plus afin qu'il comprenne qu'il devait s'en aller. Je faisais de plus en plus en sorte d'être absente à dix-huit heures, ou de faire semblant en gardant la porte fermée. Je n'étais plus la même depuis cette convocation chez Joël. Lui non plus. Il semblait avoir plus peur que moi. Je préférais l'impassibilité de Tonton. Cette façon de n'avoir que son corps à traîner, à faire boire, dormir, était fascinante. Carlos semblait mépriser Tonton, il le regardait avec méfiance. Cela me peinait et m'énervait. Son côté protecteur n'était pas bienvenu. Je ne cherchais pas un père.

Il devait bien y avoir d'autres hommes dans la Cité ou pas loin qui souhaitaient se distraire en payant, pourquoi je devais supporter ce gros homme qui voulait me contrôler et m'emmener loin de la seule famille que j'avais, Grand Ma disait bien que nous avons tous besoin d'une famille.

J'aimais qu'il pleuve. C'était dommage que la pluie soit accompagnée de tant de désagréments. La toiture de la maison était pourrie, trouée, je devais trouver des récipients pour recueillir l'eau qui tombait sur le lit, sur la table, par terre, partout. Quand j'étais petite, j'allais m'y baigner et je prenais plaisir maintenant à regarder les gamins courir heureux, nus ou habillés sous les gouttes, l'effervescence de tout le monde pour recueillir l'eau, une eau qui ne suffira jamais à nettoyer la boue, la saleté que la pluie provoquera dans les maisons en carton, en plastique, en tôle recyclée, les routes inondées, la grande rue impraticable, même pour les voitures.

Quand il pleuvait les gens ne sortaient pas. Carlos ne venait pas. Toute cette eau inquiétait, séparait. Il y avait tant de rebus, de mauvaises odeurs entre les habitants du bas de la ville qu'ils devenaient plus incivils qu'ils ne l'étaient d'habitude, le moindre regard de travers pouvait entraîner des rixes mortelles et ouvrir des cycles de vengeance capables de durer des mois. Tous ces fatras devaient avoir une part de responsabilité dans cette indifférence généralisée.

Il devait être neuf heures du soir. C'était vendredi. Les gens ne se couchaient pas tôt dans la Cité. Tonton Frédo n'était pas encore rentré. Était-il jamais là ? Savait-il seulement qui j'étais ? J'avais des doutes que son faible sourire arrivait certaines fois à dissiper. Je lui laissais des restes dans des assiettes en polystyrène, sur le petit lit en fer, il mangeait sans même regarder, sans savoir peut-être ce que ce c'était. Il était saoul, il faisait noir. Rien n'éclairait sa petite chambre, il n'en avait pas besoin. Je lui avais laissé un reste de porc et de bananes frites. Les bananes devaient déjà être froides et raides, mais cela lui sera égal. Je tripotais mon téléphone, couchée sur le dos, à la lumière de la lampe à kérosène. J'avais trois mille neuf cent dix-sept amis sur Facebook. Le nombre allait augmentant, à mesure que je postais des photos, commentais des sujets et des situations comme je pouvais, comme je voulais, avec toute la malveillance dont j'étais capable. J'avais désormais une page Facebook au nom de Cécé La Flamme. Je sentais que j'allais dépasser dans pas longtemps le nombre d'amis autorisé par le réseau social. Je postais les photos et commentaires de préférence sur la page et j'invitais mes contacts à aller regarder et lire.

Patience, belle, bien en chair, que j'enviais tellement, n'avait rien posté depuis plusieurs jours. J'avais accepté son amitié, elle « likait » tout ce que je postais, même la photo de la minable plante d'Élise dans un pot à moitié cassé, triste dans sa terre craquelée qui renseignait mieux que tout sur la chaleur, la pluie qui n'était pas tombée depuis sept semaines. Elle me surveillait, c'était sûr.

À neuf heures du soir, le service était fini, les fidèles de l'église étaient rentrés chez eux, les radios étaient mises à fond. On a frappé violemment à la porte.

— Qui c'est ? ai-je demandé en colère.

J'avais la même intonation que Grand Ma, elle me manquait tellement !

C'était sûrement Carlos, et j'allais lui dire de ne plus jamais se permettre de venir frapper chez moi après six heures du soir. J'avais violemment ouvert la porte pour me retrouver face à face avec Pierrot et le grand maigre que j'avais vu, armé jusqu'aux dents, et que Joël avait appelé Cassave.

— Vous avez besoin de quelque chose, je ne vends rien moi !

J'avais décidément la pêche de ma grand-mère ce soir.

Ils ont eu l'air décontenancé par ma réaction.

— Excusez-nous, a dit le grand maigre en tournant le dos, comme s'il voulait s'en aller.

— Non, non, je voulais juste te voir, et Jules a accepté de venir avec moi… Je voulais t'offrir une bière et te dire que je suis désolé pour la dernière fois, a-t-il dit en bafouillant. Il y a de l'ambiance chez Morel ce soir…

Le fameux Jules tournait toujours le dos. Je leur ai demandé de m'attendre, le temps que je mette mes tennis.

Chez Morel était un endroit à la mode. On pouvait y manger tous les soirs, mais le week-end beaucoup des membres de gang de la Cité venaient y boire une bière ou un rhum. Morel était moins jovial que lorsqu'il voyait Carlos, on le sentait embarrassé par ces présences armées. Il semblait plus vieux, plus chauve que la dernière fois. Il a fait semblant de ne pas me reconnaître. Il connaissait le prix du silence et de la parole dans les cités. Nous nous sommes assis autour d'une des tables en plastique blanc. Les bières sont arrivées tout de suite.

Je n'avais vu ni Jules ni Pierrot les commander. Ils devaient avoir leurs habitudes dans la maison. C'était la marque locale, et elles étaient givrées. Nous avons tous les trois sorti nos téléphones portables, comme si nous étions seuls. Nous l'étions en fait. Je n'avais aucune envie d'être en leur compagnie.

C'est Jules qui a rompu le silence en me demandant mon nom :

— Célia Jérôme. Cécé.

— Jules César.

Jules César était juste un peu plus âgé que Pierrot et moi. Quatre ou cinq ans. Il avait passé deux ans à l'université. Il y avait étudié la communication sociale jusqu'à ce qu'il tue dans un accès de colère le propriétaire de la chambrette qu'il habitait avec sa mère à Delmas 18, ce salopard qui n'arrêtait pas de leur solliciter le montant du loyer qu'ils n'avaient pas, avait-il dit en passant la main droite sur son visage. Sa pauvre mère, morte d'insuffisance respiratoire à quarante-huit ans, vendait au bord de la route, selon la saison, des mangues, des maïs qu'elle faisait boucaner ou des quenêpes. Elle ne gagnait pas assez, mais elle tenait à ce qu'il fasse des études. Ce grippe-sou venait frapper toutes les heures du jour et de la nuit, proférant contre la pauvre les menaces les plus odieuses et l'accablant d'injures.

Il me racontait d'un ton très posé que ce jour du mois de mai, il lisait *Karl Marx ou l'esprit du monde* de Jacques Attali, couché sur le matelas posé à même le sol sur lequel il dormait avec sa mère, quand il entendit cette merde insulter la pauvre femme qui, elle, pleurait. Il ne pouvait plus fixer son attention sur la page. Il n'avait pas supporté quand il lui avait dit qu'elle était encore jeune, qu'au lieu de vendre des mangues pourries qui ne lui permettaient pas de payer son loyer et d'entretenir son gros fainéant de fils, plein de prétentions qui dépassaient ses moyens, elle ferait mieux de vendre son gros cul. Il avait ri d'un rire gras, satisfait après avoir sorti cette horreur qui avait fait rire les voisins sortis de leurs maisonnettes pour assister à la scène. Jules César avait attrapé, sans même se rendre compte de ce qu'il faisait, les deux haltères roses de deux kilos chacun avec lesquels il essayait sans succès de développer les muscles de ses bras tous les matins, c'étaient les seules choses sur lesquelles il avait mis la main dans la chambre pauvrement meublée et s'en était servi pour cogner la tête du salopard jusqu'à ce que celle-ci ne soit qu'une bouillie de sang, d'os et de cervelle. Quelques personnes avaient essayé de le retenir, mais il s'était retourné contre elles et les avait fait fuir. Sa mère n'arrêtait pas de crier. Quand il avait repris ses esprits il avait vu sa frêle silhouette comme dans un brouillard, c'était la dernière fois qu'il la voyait, un mètre soixante, toute petite par rapport à son mètre quatre-vingt-douze. Dans le brouhaha, il avait distingué les mots « police » « juge de paix » et il était parti comme un fou, habillé d'un short, d'une chemisette tachée de sang, pieds nus. Il avait repris son souffle à l'avenue Christophe. Sans se rendre compte, il venait d'effectuer son parcours de tous les jours pour aller à la fac. Le soleil se couchait heureusement. Il avait marché jusqu'au boulevard Jean-Jacques Dessalines pour aller chez son camarade Clovis qui habitait Bethléem. Il n'avait pas de portable, il n'était pas certain de pouvoir trouver sa piaule dans ces dédales.

— C'est Dieu, ajouta-t-il en avalant une gorgée de bière. Il m'avait guidé. J'y étais allé tout droit. C'était la porte. Elle avait attiré mon attention la fois où Clovis m'avait emmenée chez lui. Une porte sculptée, retirée d'une belle maison, sans doute pendant un *déchoukaj*.

J'avais frappé. Clovis lui-même avait ouvert, à peine étonné de me voir. Il m'avait offert un vieux maillot, un pantalon et des sandales en caoutchouc. Il n'avait pas la place pour m'héberger. Il m'avait dit : « À demain ! » comme s'il s'attendait à me voir à la fac. Mais c'était fini pour moi, la fac. J'avais marché jusqu'à la Cité de la Puissance Divine. Il fallait que je sois dans un de ces quartiers où la police honnête ne rentre pas. Il était déjà vingt-deux heures. Les hommes de Freddy m'ont arrêté. Ils m'ont emmené au Chef. J'étais constamment sous la protection de Dieu. Ils auraient pu me tuer. Le Chef m'a demandé si j'étais envoyé par Fanfan Le Sauvage pour l'espionner. Je lui ai tout raconté. Il avait trouvé que je parlais bien. Il m'a demandé si je savais bien écrire aussi. Il m'a permis de dormir sur un carton dans la cour. J'étais le seul à ne pas être armé.

Le lendemain, les stations de radio ont toutes parlé de mon crime. Ma mère, en état de choc, avait été admise à l'Hôpital général en attendant de pouvoir être interrogée, annonçaient-ils également. Les gars du gang commençaient à me regarder avec respect, on parlait de moi dans les médias, comme du Chef. J'avais peur, mais personne ne devait le savoir. Ça change beaucoup de choses dans la vie, un premier meurtre. Et puis les autres viennent presque naturellement. On n'a pas le choix. On est dedans. On a soi-même un peu plus peur de mourir. C'est tellement fulgurant, toujours impressionnant de voir, en l'espace de quelques secondes, quelqu'un perdre son équilibre, passer du vertical à l'horizontal, sans aucune chance de revenir en arrière. Je soupèse plusieurs fois par jour mes différentes armes. J'aime les armes. Leur pouvoir destructeur. Je mourrai sans doute d'une balle. Mais beaucoup vont crever avant moi. Ils vont passer le bonjour à Guerda de ma part.

J'avais sursauté et ouvert les yeux. Je devais avoir raté une partie de son histoire. Je commençais à être très fatiguée, il n'était pas loin de minuit, il ne restait plus qu'un couple qui ne se parlait pas autour d'une table dans un coin. L'homme avait largement passé la soixantaine. La fille ne devait pas avoir plus de dix-sept ans. Elle buvait du Coca Cola et lui du rhum.

— Guerda, c'était ma petite maman.

Il devait en être à sa dixième bière. La mienne n'était maintenant qu'un liquide chaud, je n'en étais qu'aux trois quarts. En général, ma limite c'était une seule. Pierrot s'était déplacé pour être plus proche d'une prise électrique afin de pouvoir recharger la batterie de son téléphone tout en continuant de surfer sur Facebook et à rigoler tout seul. Morel venait d'apporter deux bières de plus à Jules César qui émit un rot sonore en guise de merci. Il était vraiment sans gêne.

— Maman est morte à l'hôpital public. Seule. Comme une indigente. Elle n'avait que moi. Je n'avais qu'elle. Voisine Justine avait été la voir deux fois. Elle était vieille, Voisine Justine, ses pieds étaient constamment enflés. La seconde fois, au bout d'une semaine, quand elle est arrivée, il y avait quelqu'un d'autre dans le lit que maman occupait, Voisine Justine avait demandé à des médecins et des infirmières très mal disposés si la malade avait été transférée ou si elle était partie. C'était finalement le patient du lit d'à côté qui lui avait appris son décès.

Jules César avait vidé d'un trait sa onzième bouteille de bière. Je n'avais pas envie qu'il continue à me parler de sa mère, à m'expliquer qu'il avait raison d'être un criminel. Il devait en avoir tué plus d'un depuis son voisin. Il avait maintenant le hoquet et rotait sans vergogne, sans s'excuser. Il n'avait apparemment pas lu que cela ne se faisait pas dans son livre qui parlait de l'esprit du monde machin. Il avait entamé la douzième bouteille, à petites gorgées, quand il me sortit brusquement :

— Je peux passer la nuit avec toi ?

— Non !

Le non était sorti tout seul. C'est vrai que je cherchais des clients, mais ce radoteur, roteur, soûlard et criminel de surcroît, c'était trop. J'avais l'impression qu'il pourrait être trop grand de taille pour la maison aussi. Rien à faire.

J'en voulais à Pierrot, il m'avait laissée trop longtemps seule avec ce Jules César qui avait tellement besoin de raconter sa vie. Il se cherchait sûrement une mère. Ce ne serait pas moi.

C'est Pierrot qui avait réglé l'addition en sortant de sa poche une liasse de gourdes que Morel avait regardée avec envie. Moi aussi. Ils m'avaient raccompagnée. Jules César tenait un revolver dans chacune de ses mains. Pierrot en avait un à la main gauche, il n'utilisait plus le bras droit depuis qu'il avait été cassé par Freddy, mais il n'en parlait pas. J'étais au milieu des deux. La nuit était belle. Les corridors étaient déserts et sentaient le pourri. À part deux chiens mâles qui voulaient baiser en même temps une femelle et semblaient prêts à se battre. Pierrot avait remis son arme à sa ceinture et essayé de me prendre la main, je l'avais mise dans la poche de mon jean, lui signifiant ainsi que je n'étais pas intéressée. Je me disais que c'était bien qu'aucun voisin ne soit éveillé pour me voir avec Pierrot et Jules César, mais je savais qu'Élise était tapie derrière le mur de sa galerie, elle n'osait pas se laisser voir, mais l'odeur de sa cigarette arrivait jusqu'à moi. Demain beaucoup de gens allaient savoir que j'étais rentrée accompagnée de membres du gang de Joël.

Patience était une Première Dame, comme l'était l'épouse du Président de la République. Elle avait une horde de personnes à son service qui essayaient de deviner ses désirs, craignaient de tomber en disgrâce à ses yeux, la priaient d'intervenir pour eux auprès du Chef. Elle portait des robes longues, c'était élégant, elle s'entourait de mystère, il y avait une seule chose à savoir la concernant et dont on pouvait parler sans craindre qu'il ne vous arrive quelque malheur: elle était la compagne du Chef. Elle n'avait pas de passé connu.

Patience voulait que les femmes s'organisent. Qu'elles comprennent leur importance et leur rôle dans le développement de la Cité. Elle souhaitait les réunir en association. Pierrot avait été chargé de transmettre les invitations aux plus «vaillantes» pour une réunion qui se tiendrait jeudi matin. C'était plus une convocation assortie de menaces qu'une invitation.

— La femme du Chef vous attend jeudi à neuf heures trente pour une réunion.

— À quel sujet?

— Comment veux-tu que je sache? Contente-toi d'être là, elle n'aime pas qu'on soit en retard, ne dis pas que je te l'ai pas dit.

Je me réveillais rarement avant dix heures, mais ce jour-là j'étais prête à huit heures, lavée, coiffée, habillée de mon habituel jean, de ma chemise blanche, celle que je portais quand Joël m'avait convoquée. C'était le vêtement le plus présentable que je possédais. Je suis restée assise sur le rebord du lit. Je n'avais pas faim. Je n'avais pas envie de toucher à mon téléphone. Je me demandais ce que j'avais encore bien pu faire ou ne pas faire. Je m'étais mise en route trente minutes avant alors qu'il en fallait dix pour arriver à la base. J'étais en train d'attendre depuis une quinzaine de minutes quand j'ai vu arriver Soline. Elle avait encore grossi et marchait les jambes écartées, sans doute à cause de son poids, Andrise, la femme du pasteur, qui allait avoir bien chaud sous la veste bordeaux en velours qu'elle portait. Elle s'efforçait à tous les coups, Andrise, de montrer son honorabilité, ce qui lui donnait un air bizarre, franchement comique. La veste en velours amplifiait ce côté marrant, j'ai eu envie de la prendre en photo. Je n'ai pas osé. Yvrose semblait fatiguée, j'avais entendu dire que Fénelon était malade, ses yeux exorbités lui faisaient une tête encore plus grosse qu'en temps normal. Fany avait mis le paquet, elle qui ne sortait que rarement, trop occupée à nourrir son chagrin, portait une jolie robe vieux rose, des chaussures plates couleur argent, elle avait les cheveux lissés et portait même un petit sac verni en bandoulière, c'était une sortie des grands jours.

La barrière avait glissé pour nous laisser entrer. Un peu plus largement qu'elle ne l'avait été pour moi seule la dernière fois. Il fallait respecter le volume de certains des corps qui allaient passer. Le gros cylindré n'était pas là. Une tente avait été dressée et des chaises disposées à l'endroit où il se trouvait. Nous avons pris place. D'autres femmes étaient arrivées. Une dizaine. Natacha en faisait partie. Je n'avais jamais vu sa peau aussi rosée. Elle était un peu plus jeune que moi et avait déjà deux enfants. Elle transpirait beaucoup et s'épongeait le visage avec des mouchoirs en papier qui laissaient de petits morceaux sur sa tempe et sur ses joues. Elle s'était assise en face de moi, et nous avions échangé un sourire.

Je voyais souvent les autres dames, elles étaient commerçantes ou femmes au foyer, comme les compagnes de Joe et d'Edner. Peut-être étaient-elles vaillantes. Qu'est-ce que j'en savais ? Moi je ne l'étais pas, même si je n'avais pas l'intention de le dire à Patience.

Elle nous avait rejointes, à neuf heures quarante-cinq, précédée de son parfum et suivie par le tatoué musclé armé d'une mitrailleuse. Arrivée au milieu de l'assemblée elle avait dit bonjour, tournant sur elle-même pour voir tout le monde. Elle a commencé à nous parler comme on parlerait à des enfants en très bas âge, en traînant sur chaque mot, elle avait peur que nous ne comprenions pas. Si seulement je pouvais la filmer et permettre à tout le monde de rire comme j'avais envie de le faire pendant tout le temps où elle avait parlé ! Mais tout le monde saurait que c'était moi. Les autres dames possédaient des téléphones comme celui de Grand Ma, sauf Natacha, mais personne ne la soupçonnerait. Tous les regards se retourneraient vers Cécé La Flamme et on retrouverait mon corps calciné dans un des corridors. Une grosse goutte de sueur venait de glisser le long de mon dos.

— Mesdames, vous êtes les poteaux-mitan de notre cité, le chef Joël fait beaucoup d'efforts pour faire baisser les prix afin que vous puissiez nourrir sans difficulté vos familles, il veut compter sur vous pour que nous vivions en paix ; il a besoin de votre support pour accomplir sa tâche, vous devez parler à vos maris afin qu'ils lui soient dévoués. Il est là pour nous protéger tous.

Il commençait à faire chaud. Les bêtises débitées par la belle Patience n'arrangeaient rien. Soline avait des plis au front. Les autres dames la regardaient avec étonnement, sans rien dire. Le bandit avec des dreadlocks est arrivé avec un plateau en acier inoxydable sur lequel étaient posé des verres en plastique contenant du Coca Cola, du Sprite et du Cola Couronne. Heureusement que j'étais assise devant, j'avais pu prendre un des verres de Cola Couronne, en général les gens aimaient ce soda local sucré. Il était frais, avec des glaçons. J'entendais la voix de Patience comme venant de loin, des pâtés sont arrivés tout de suite après sur un plateau identique au premier, apporté par le chauve nerveux, j'espérais qu'il n'avait pas craché dessus, j'avais osé en prendre deux, je mourais de faim. J'aurais tellement souhaité en prendre un troisième que j'aurais gardé pour Tonton Frédo !

Le plateau était repassé complètement vide, je n'étais pas la seule à avoir pris deux pâtés. À présent, beaucoup des dames avaient des miettes autour de la bouche, je m'étais servie de la caméra avant de mon téléphone pour m'assurer que ce n'était pas mon cas.

— Le Chef tient beaucoup à vous et à vos familles, il vous a laissé des cadeaux, il est sûr qu'ils vous feront très plaisir. Vous êtes, mesdames, nos mères, nos sœurs, nos amies, des piliers de notre communauté.

L'homme aux dreadlocks et le nerveux déposaient à présent devant chacune de nous un sac rempli à moitié. Je devinais ce qu'il contenait. C'était le riz qui provenait de la cargaison saisie il y a trois jours sur le boulevard Harry Truman. Les photos de l'opération avaient circulé sur Facebook, et j'y avais reconnu Joël lui-même, Pierrot, Jules César et le cracheur nerveux.

— Nous aurons très bientôt une autre réunion, nous allons continuer la lutte pour notre Cité, pour notre pays.

J'aurais aimé savoir de quelle lutte parlait Patience, je n'étais pas au courant. Les dames non plus, elles s'étaient regardées, étonnées. Elles n'avaient certainement rien à voir avec cette femme qui vivait au milieu de ces gens armés, n'avait pas besoin de travailler, avait tout ce qu'elle souhaitait et même plus. Elles étaient néanmoins contentes de cette provision de riz inespérée qu'elles allaient vaillamment manger ou vendre, ou les deux.

Quant à moi, j'allais confier mon demi-sac à Soline afin qu'elle le vende pour moi, je ne faisais pas à manger. C'était plus facile, moins fatiguant, plus économique d'acheter des marchandes qui me servaient d'ailleurs généreusement en souvenir de Grand Ma.

Quinze « au revoir madame », très respectueux, s'étaient succédé. Patience, l'air bête, répondait par des « au revoir chérie», sans âme, désincarnés, avec un sourire qui durait trop longtemps pour être sincère. Sa beauté, ses formes généreuses mises en valeur dans une robe blanche moulante ne lui étaient d'aucune utilité à ce moment précis, elle le sentait probablement.

Le sac pesait un enfer, j'aurais volontiers payé les services de Livio pour le transporter, mais il n'était pas dans les parages, et il n'était pas question de le laisser pour revenir le chercher. Les dames semblaient moins peiner que moi. Elles étaient plus grandes de taille, plus corpulentes. Ce fut en le changeant de bras toutes les deux minutes que je parvins à regagner la maison.

J'avais déjà vu beaucoup de cadavres dans ma vie. Des entiers. Des démembrés. Des calcinés. Celui de Grand Ma. Je passais mon chemin devant le spectacle des corps, la plupart du temps d'hommes, gisant au soleil, autour desquels tournaient mouches, chiens affamés, chrétiens vivants. Ma disait que j'avais les yeux secs. Que je ne savais pas pleurer. C'était vrai. J'aurais pourtant voulu certains jours, parce qu'il n'y avait rien de plus facile et sans doute de plus libérateur. Se laisser aller, obtenir que les autres vous soutiennent, vous cajolent parce que vous êtes faible, vous osez souffrir un peu plus qu'eux et le montrer.

Fénelon était malade. J'avais entendu plusieurs personnes en parler. Soline aidait Yvrose comme elle pouvait, comme beaucoup de dames du voisinage. Elle était venue me demander de lui donner moi aussi un coup de main comme je ne faisais rien de mes journées, afin qu'elle puisse garder sa boutique ouverte. Elle n'aurait pas compris si je lui avais expliqué que les réseaux sociaux prenaient du temps, qu'il me fallait regarder plein de photos, les aimer ou pas, commenter l'actualité politique et celle des artistes du HMI, j'adorais prononcer ces trois lettres, en anglais s'il vous plaît, qui voulaient dire Haitian Music Industry, et de temps à autre faire les louanges de Joël, chef tout-puissant et généreux. J'avais photographié et posté sur ma page Facebook les sacs de riz que Patience avait distribués de sa part. Elle avait vite fait de « liker » mon post et de commenter : « Ce n'est qu'un début, à la prochaine rentrée scolaire, Chef Joël s'assurera que les écoliers de la Cité de la Puissance Divine bénéficient d'un plat chaud par jour. » Le commissaire du gouvernement lui-même avait pris la parole à la radio pour rappeler que ceux qui acceptaient de recevoir les marchandises volées étaient complices des voleurs. Il avait été massivement insulté par les internautes.

J'avais de plus en plus d'abonnés à ma page Facebook qui était plus facile à gérer que le compte. Je n'avais même plus à enlever mon amitié aux « haïssants », à ceux qui allaient trop loin, qui me faisaient la morale, m'incitaient à dénoncer les criminels faisant partie du gang de Joël.

J'avais accepté d'aller aider Yvrose. Ses deux fils travaillaient en République dominicaine. Je me souvenais vaguement de deux garçons boutonneux et fades qui se ressemblaient beaucoup, avaient des prénoms proches, Jean-Pierre et Jean-Paul, portaient les mêmes chemises comme si leurs parents trouvaient que c'était un gros effort de choisir des tissus différents pour les faire fabriquer. Ils passaient leur temps à expliquer aux gens qui les appelaient « jumeaux » qu'ils ne l'étaient pas, qu'ils avaient trois ans de différence. Sans grand succès.

La boutique de Fénelon et d'Yvrose était dans la pièce de devant de leur maison. Il y avait sur le mur, écrit en rouge avec de la peinture, « L'Éternel est grand ». La plupart du temps c'est Fénelon qui était au comptoir. Il draguait autant qu'il pouvait les femmes qui venaient s'approvisionner, faisait crédit, offrait des petits cadeaux contre des faveurs sexuelles. Sa femme était au courant, elle avait plusieurs fois été demander des comptes à des supposées maîtresses de Fénelon et avait souvent été accueillie avec des jets de pierres, et les voisines attribuaient sa maigreur à sa jalousie constante qui, disait-on, l'empêchait de dormir et de manger.

Yvrose m'avait fait signe de passer par-derrière quand elle m'avait vu arriver. J'avais emprunté un court et très étroit corridor qui menait à une porte en bois. Une jeune femme était appuyée contre le mur. Elle regardait le sol. J'avais dit bonjour. Elle n'avait pas répondu, mon ton était sans doute trop bas. J'avais écarté un rideau en dentelle blanc et m'étais retrouvée dans la chambre du couple. Le lit dans lequel reposait Fénelon était grand et le drap rose pâle, brodé aux extrémités, qui le recouvrait, très joli. La chambre était encombrée mais propre. Le lit imposant, un grand meuble en bois avec des tiroirs en bas et des étagères en haut sur lesquelles trônaient des bibelots en faïence représentant des chats, des chiens, des oiseaux et de gros coquillages ; trois chaises en bois sculpté avec les mêmes motifs que la tête du lit se trouvaient dans la pièce. La chambre communiquait avec la boutique, Yvrose était arrivée par une porte que je n'avais pas remarquée et dont le grincement avait réveillé son mari.

Fénelon regardait autour de lui, la bouche semi-ouverte, il portait une chemisette blanche, le reste de son corps était recouvert d'un drap blanc. Il avait de nouveau fermé les yeux.

Yvrose m'a chuchoté qu'il avait eu un accident vasculaire cérébral, que son côté gauche était paralysé, qu'il n'arrivait plus à parler, qu'il fallait l'assister pour tout, que cela la fatiguait beaucoup, qu'elle avait bien engagé Manita pour préparer la nourriture et faire le ménage à sa place, mais qu'elle avait quand même besoin d'aide afin d'avoir du temps à consacrer à son commerce qui était la seule source de revenus du couple et leur permettait même d'envoyer quelques sous aux garçons qui ne s'en tiraient pas vraiment bien.

Fénelon était réveillé. Ce devait être le bruit que faisaient les chaudières dans la cour, Manita, sans doute la jeune femme que j'avais croisée dans le couloir, préparait à manger ou faisait la vaisselle, sans doute les deux. Quelque chose sentait mauvais tout à coup dans la pièce. Fénelon était entré dans une grande agitation en me voyant. Yvrose avait sorti une couche pour adulte d'un paquet qui se trouvait sous le lit. Il émettait des plaintes en regardant tantôt sa femme, tantôt moi. Il ne voulait clairement pas que je reste dans la chambre.

— Je crois qu'il ne veut pas que tu me voies en train de changer sa couche, Cécé. Tu es une jeune femme et lui un homme, tu comprends.

Je n'avais aucune envie moi non plus d'assister à cette scène. Ç'aurait été voir deux fois Fénelon au bout de lui-même. Apparemment il n'avait pas oublié notre escapade et comment elle s'était terminée pour lui. Que je le voie en train d'être torché comme un nourrisson l'aurait achevé.

Je n'avais éprouvé aucune compassion pour Fénelon. J'avais pensé à Mimose et éprouvé de la honte. Pourquoi l'avais-je dénoncée ? Pourquoi m'étais-je fâchée à ce point pour un cola ? Elle ne m'avait fait aucun mal. Je ne me sentais pas mieux en me disant que je n'étais qu'une enfant. Aujourd'hui, je comprenais bien ce que voulait dire manquer d'argent, avoir faim ou craindre de manquer de nourriture.

Fénelon n'achètera plus les faveurs d'aucune femme maintenant. Soline m'avait dit qu'il ne récupérerait pas de sa paralysie. Yvrose n'aura plus aucune raison d'être jalouse, elle lui changera ses couches, lui donnera à manger, travaillera comme une damnée pour faire marcher la boutique et ne s'inquiétera plus de ses absences. Entre chez Fénelon et chez moi, j'ai cru percevoir à la fois des odeurs de menthe et de caca.

C'était mon anniversaire. Je n'avais pas de rapport avec le temps, de toute façon. Il ne passait pas vraiment le temps à Bethléem et à la Cité de la Puissance Divine. Probablement partout où les gens n'attendaient rien. On oubliait d'être, on n'essayait pas de comprendre. J'avais eu envie de parler de ma fête à Tonton Frédo. Savait-il seulement ce que signifiait un anniversaire? Quelle était la date du sien? Il n'avait aucun papier d'identité d'ailleurs, il était revenu de son Amérique avec une feuille de route, comme un colis.

Ma se rappelait toujours de la date de mon anniversaire. Elle me donnait alors un peu d'argent que je mettais, petite, dans ma tirelire, un bocal dont j'avais perforé le couvercle. L'argent finissait par disparaître. Elle le reprenait quand elle en avait besoin, me disait qu'elle me le rendrait. Elle me donnait de l'argent, au cours de l'année, mais ce n'était pas le même montant. Quand j'osais lui en parler, elle me regardait, l'air faussement étonnée et me disait: « Quel argent, petite? » Je ne lui en voulais pas. Adolescente, pour utiliser les sous, afin qu'elle ne les reprennent pas et parce que j'adorais les produits de beauté, je courais m'acheter des rouges à lèvres bon marché, des poudres qui n'allaient pas avec ma complexion, des fards à paupières bleu foncé, des vernis à ongles jaune, vert ou noir. Ma riait aux larmes en me voyant, qualifiant mon maquillage de déguisement. Ma disait qu'un vernis à ongles devait être rouge ou rose. J'étais vexée, et elle riait de plus belle.

Tonton dormait des fois jusqu'à trois heures de l'après-midi. Réveillé, il restait dans le lit à regarder le plafond, attendant l'angélus pour sortir. Il ne disait rien, ne demandait rien. Je lui apportais à manger et restais un moment à le regarder. Il avait du mal avec la fourchette en plastique trop molle. Grand Ma avait laissé des assiettes et des couverts que j'aurais pu utiliser, mais cela aurait impliqué que je les lave ensuite, ce n'est pas à son âge que Tonton allait comprendre qu'il fallait participer au ménage.

Carlos aurait fait toute une histoire si je lui avais dit que j'avais atteint mes vingt-deux ans. Il l'aurait interprété comme un ramollissement, une acceptation presque de sa proposition d'aller vivre avec lui à Tabarre. Il parlait de l'avancée des travaux de construction de sa maison, deux étages en béton, tout le rez-de-chaussée réservé au dépôt et à la vente de boissons. C'était clair que l'argent ne manquerait pas. Je serais dans quelques années probablement comme Yvrose, un peu pincée, sans âge, avec une grosse tête qui dodelinerait quand je marche.

Je ne disais rien. Je le laissais rêver tout seul. Je ne pouvais pas le chasser. Ma vie et celle de Tonton en dépendaient. Je ne recevais que lui. Je n'ouvrais plus à Pierrot. Il me faisait peur. La dernière fois, il était arrivé saoul, en compagnie de Jules César tout aussi imbibé. Je leur avais demandé de s'en aller. J'avais eu très peur. Heureusement qu'Élise et Livio étaient en face, que Soline était sur sa galerie. Ils sont partis faire le con ailleurs, leurs revolvers à la main. J'avais ensuite envoyé un message par WhatsApp à Pierrot pour lui demander de ne plus venir m'importuner. Il avait lu le message mais n'y avait pas répondu.

Je me surprenais à attendre. Je ne savais de Carlos ou de l'argent qu'il me donnait lequel j'attendais avec plus d'impatience. Dix-huit heures trente. Tonton sortait. Carlos rentrait. Ils ne se saluaient pas. Tonton parce qu'il ne voyait ni n'entendait personne, qu'il était irrémédiablement attiré vers la terre, tassé, portant ses souvenirs et le peu d'avenir qu'il avait. Carlos parce qu'il était raide, engoncé dans des conceptions du travail, de la réussite, du bon comportement, qui le portait à mépriser les bandits, les alcooliques, les homosexuels, les putes. C'était son aveuglement, son peu d'humanité, sa suffisance, son orgueil qui faisait qu'il me considérait comme sa petite amie. Il se trompait. Mes intentions avaient toujours été claires. J'avais fait ce choix de vie pour subvenir à mes besoins. C'est vrai que je n'avais pas un grand succès dans mon entreprise, je n'avais pas le physique approprié, la concurrence était rude, mais je n'arrivais pas à le considérer autrement qu'un client. Il ne pouvait sortir de chez moi sans me tendre les mille gourdes. Je pensais d'ailleurs à augmenter le tarif.

Carlos se plaisait à penser qu'il vivait une vie normale, dans un monde normal. Il me parlait de sa mère. Une femme qui savait lire et écrire. Qui avait été à l'école chez les catholiques. Que la vie avait malmenée. Qui s'était retrouvée seule avec quatre enfants de quatre pères différents. Qui s'était démenée pour qu'ils aient tous une bonne éducation. Brave femme!

Carlos souhaitait sans doute de tout son cœur que je sois comme cette sainte à qui il voulait me présenter, il habitait encore avec elle à trente-six ans, il voulait sans doute lui montrer qu'il avait quelqu'un dans sa vie. Que dira-t-elle après en apprenant que je ne suis pas dans la vie de son fils, que je fais partie de ceux qui ne croient même pas à leur propre existence? À cause peut-être de cette impossibilité d'avenir, de cette incapacité d'avoir prise sur le destin, de marcher jusqu'au bout de quelque chose qui a du sens pour soi et pour les autres.

Le cri avait retenti au milieu de la nuit. Un cri de femme. Aigu. C'était plus difficile à supporter que les déflagrations. Les victimes des affrontements entre gangs étaient enterrées en toute discrétion, les parents avaient soit honte, soit trop peur de contrarier les vainqueurs. Ce cri nocturne annonçait une mort pour laquelle la famille avait le droit de pleurer. Le hurlement était proche. D'autres sons, d'autres souffrances, d'autres voix de femmes et d'hommes sont venus s'ajouter au premier cri.

Fénelon nous avait quittés. Il était mort dans son sommeil. Il refusait de se nourrir, m'avait dit Soline. Il était maintenu en vie depuis plusieurs jours grâce à des perfusions, et sa femme était épuisée à force de veiller sur lui de jour comme de nuit.

Il était six heures du matin quand je suis sortie voir ce qui se passait. Frédo n'avait rien entendu. Même un séisme pareil à celui de 2010 ne l'aurait pas réveillé. J'étais parmi les dernières arrivées. J'avais eu du mal à m'introduire dans la chambre, il y avait déjà trop de monde. Soline m'avait lancé un regard plein de reproches et de colère. Il y avait mon retard plus mon maillot rose pâle. Ce n'était pas une couleur appropriée pour pénétrer dans une maison endeuillée. Elle devait être là dès les premiers moments, le premier cri, avec sa bouteille d'huile d'olive et son gros sel contre les grosses émotions, elle semblait fatiguée, et sa chemise de nuit dépassait de sous sa robe marron et beige. Tout le monde s'occupait d'Yvrose qui, assise sur l'une des trois chaises de la chambre, à sa droite Andrise, à sa gauche Fany, pleurait à chaudes larmes, avec de temps à autre un long cri strident. Un mari exemplaire, qu'elle disait, porteur de toutes les qualités humaines. Les voisins présents, tour à tour, ajoutaient une couche sur la bonté du défunt. Je n'avais rien à dire. Le corps n'avait pas encore été enlevé, il était entièrement recouvert d'un drap blanc.

Mort, on était donc immédiatement blanchi de tous les méfaits qu'on avait pu commettre? Tout le monde ou presque dans la salle savait comment Fénelon se comportait avec les femmes et les filles. Le corps sous le drap n'était plus celui de l'homme qui avait introduit si violemment ses doigts dans mon vagin que j'avais eu mal pendant une semaine, qui avait pleuré sa vigueur en ma présence, espérant peut-être que je le console. C'était un amas de chair qui allait entamer sa décomposition, et pendant longtemps ses proches auront l'impression d'entendre sa voix, qu'il n'est pas loin, qu'il va ouvrir la porte et rentrer à la maison, apportant avec lui le dehors, l'inconnu, les mauvaises et les bonnes pensées.

Les bibelots en forme de chats, de chiens, de poissons regardaient, compréhensifs, les allées et venues, tous ces visages aux airs tristes, heureusement qu'ils étaient là, eux qui ne changeaient pas de mine, même face à la mort.

Patience avait rendu visite à Yvrose dans l'après-midi. Une sorte de bruit l'avait précédée, une rumeur, des éclaireurs armés, des hommes suspects et inidentifiables qui couraient dans tous les sens, les gens qui se mettaient sur leur galerie pour escorter du regard cette créature étrange qui laissait le périmètre embaumé après son passage, qui disait-on faisait perdre la tête au Chef et à certains de ses hommes. Elle avait posté un message de condoléances à l'intention d'Yvrose dans la journée, membre du groupe des femmes vaillantes de la Cité de la Puissance Divine, grand soutien du vénéré Chef qui pleurait la disparition d'un non moins grand soutien du bien-aimé Chef, son époux. J'avais «liké» sa déclaration. J'étais sincère. Tant d'effronterie m'ébahissait.

Elle portait une longue robe noire moulante, un long collier en perle blanc qui lui arrivait sur le nombril, de grandes lunettes noires qui faisaient ressortir sa bouche rouge, ses tresses noires lui arrivaient jusqu'au bas du dos, on voyait bien que ce n'étaient pas les cheveux en plastique avec lesquels se coiffaient les filles de la Cité.

Yvrose avait été prévenue de sa visite et l'attendait devant la maison. C'était tout un spectacle. Elle avait une robe blanche et un mouchoir de tête de la même couleur. Patience l'avait prise dans ses bras sous les regards émus des voisins. J'étais à deux doigts d'éclater de rire, tant tout était joué et mal joué. Elles étaient entrées dans la maison. Il n'y avait que Manita, la jeune aide qu'Yvrose avait engagée, qui les avait suivies pour servir le thé de gingembre et de cannelle qui était incessamment servi aux visiteurs depuis la levée du corps. Patience n'était restée qu'une vingtaine de minutes. Sitôt après son départ, grâce à Manita, toute la Cité de la Puissance Divine était au courant qu'une grosse somme d'argent avait été remise à Yvrose. Il faisait quand même bon mourir pour une fois dans la Cité. Ce n'était pas Livio qui dirait le contraire. Il trépignait devant la maison endeuillée dans ses vieux vêtements. Il jurait. Il parlait fort :

— Foutre ! Fénelon est retourné en Guinée, que la terre des ancêtres l'accueille !

Il tournait sur lui-même en répétant la même phrase. Ceux qui mouraient voyaient enfin la fin du voyage, celui qui avait amené les esclaves des côtes d'Afrique. Il y croyait, comme beaucoup d'autres, partout dans le pays. Cela le rendait joyeux. Et c'était beau à voir.

Plusieurs camions avaient été détournés. Du riz, du sucre, des planches, de l'essence, toutes les cargaisons qui essayaient de passer pour aller vers le sud du pays étaient confisquées, vendues moins cher qu'ailleurs ou distribuées dans la Cité et ses alentours. On parlait d'opérations de police imminente contre Joël et ses hommes. Tout semblait calme. Ceux qui le pouvaient déménageaient. Soline n'était pas inquiète. Moi non plus. Elle m'avait expliqué qu'elle avait tout vu tout entendu, depuis le temps qu'elle habitait là et qu'elle se portait très bien. Grâce à Dieu. Je suis une femme seule, avait-elle ajouté, je n'ai que Dieu et les voisins qui sont comme ma famille, où pourrais-je aller?

Je me souvenais avoir entendu Ma raconter à Andrise que Soline avait eu un compagnon, qu'ils avaient vécu deux ans ensemble, qu'il l'avait quittée pour sa bonne amie, «sa commère», disait Grand Ma. Elles avaient leurs commerces, côte à côte, au Marché Hyppolite. Elle avait failli perdre la tête, avait dit Grand Ma, en ajoutant qu'elle n'était pas certaine qu'elle l'ait tout à fait recouvrée. Elle continuait d'espérer après dix-huit ans que ce monsieur allait se ressaisir, rentrer à la maison, pour reprendre leur vie normale, se marier avec elle et avoir deux enfants. Elle voulait deux enfants dans l'ordre suivant: un garçon et une fille. «Bon Dieu bon», lui disait Ma pour la consoler dans ses jours de désespérance, quand elle constatait amèrement qu'elle ne pourrait peut-être plus faire d'enfants. Elle avait cinquante-six ans. L'épouse du pasteur lui avait conseillé d'essayer de faire sa vie avec un des veufs de l'église, ces bons chrétiens qui avaient perdu leur compagne lors du dernier séisme, elle l'avait très mal pris en lui disant qu'elle avait déjà quelqu'un dans sa vie.

C'était les Pâques, des cerfs-volants couvraient le ciel de la Cité, et du lever au coucher du soleil on entendait des gamins courir, commenter la direction du vent, pleurer parce qu'un autre avait coupé le fil de son cerf-volant en attachant une lame au sien. Ils allaient dos nus, les pieds maculés de boue, transpirant, parlant vite. Élise tentait de les éloigner de sa terrasse, mais rien n'y faisait. Elle fumait plus que de raison, elle avait peur. La rumeur annonçant que Fanfan Le Sauvage préparait une attaque contre la Cité de la Puissance Divine était persistante. Le gang dirigé par Joël faisait de meilleures affaires que le sien, les habitants de Bethléem se plaignaient, les produits de première nécessité étaient moins cher à la Cité de la Puissance Divine, cela mettait à mal son efficacité et son autorité. La Police nationale aussi, disait-on, préparait une intervention. Trop de camions avaient été détournés, trop d'exactions commises. Elle et sa sœur se demandaient qui de la police ou de Fanfan Le Sauvage attaquerait en premier.

Yvrose était tout à son veuvage, elle n'était plus aussi maigre, Andrise avait attribué sa prise de poids au stress, sans préciser si c'est parce qu'elle en avait moins ou plus, je croyais personnellement qu'elle en avait beaucoup moins, même sa tête semblait bouger moins, mais comment avouer tout haut que le compagnon d'une vie avait été une source permanente de stress ?

Le vieux Nestor avait accueilli chez lui un gaillard qui l'appelait Tonton, fraîchement rentré de sa province de Saint-Jean du Sud ; l'air benêt, il portait en permanence un jean dont les jambes avaient été coupées aux ciseaux, un polo jauni qui devait avoir vécu trois vies, une casquette noire sur laquelle était écrit en jaune « L.A. Lakers ». Il s'appelait Fatal, parlait et riait fort en montrant des dents gâtées. Je le voyais passer tous les matins transportant deux seaux de cinq gallons, remplis d'eau, dans chacune de ses mains. Le vieux était bien seul depuis la mort de sa femme et de son fils, il continuait de fabriquer des petits coffres en bois sur lesquels il gravait « Je t'aime » ou « Haïti », que Fatal allait vendre désormais.

Nestor donnait des nouvelles de sa fille même quand on ne lui en demandait pas. Dès qu'on lui disait bonjour, il répondait que Louisa allait bien, qu'elle avait maintenant deux filles qui avaient la nationalité américaine, ce qui les assurait de ne pas venir vivre à la Cité de la Puissance Divine au milieu de bandits et d'assassins, comme ceux qui avaient tué son fils. Il n'admettrait jamais que son Daniel avait aussi tué des gens. Il aurait été trop méchant de le lui rappeler. Il avait l'air tellement vieux, Nestor !

À la radio, le porte-parole de la Police nationale avait été précis, il y avait provision dans le Code pénal contre ceux qui profitaient des vols effectués par les gangsters et, eux aussi, seraient considérés comme tels. La Cité ne comptait donc personne d'honnête. Sans doute étaient coupables aussi ceux des bidonvilles d'en haut et d'en bas qui rêvaient de produits moins cher. Le visage de Carlos s'était vidé quand je le lui avais dit.

— Il faut partir d'ici à tout prix, avait-il dit.

J'avais choisi de ne plus répondre. C'était grotesque de revenir à chaque fois sur le même sujet et de se retrouver à dire le même « non ».

Tout était calme dans la Cité. On avait peur. Chacun avait conscience de la fragilité de chaque chose et de tout le monde.

Le pasteur Victor était un homme habité. Par Dieu. Par la mission de sauveur d'âmes qu'il lui avait confiée. À l'écouter, c'était au cours d'une entrevue en tête à tête qu'il le lui avait demandé. Les gens le croyaient. Grand Ma en était persuadée. C'était pour cela qu'elle payait consciencieusement la dîme. C'était la seule forme d'impôt qu'elle aie jamais payé d'ailleurs. Peu importe la chaleur Pasteur Victor portait le veston, c'était le signe qui marquait la différence d'avec les autres. Andrise et lui avaient cinq enfants qui ressemblaient tous à leur mère. Ils ne rataient jamais l'école du dimanche, ce cercle où l'on étudie la Bible avant la messe et que je n'ai jamais réussi à intégrer malgré les encouragements de Grand Ma.

L'église dirigée par Victor était sommaire et se fondait bien dans le paysage de la Cité. Une grande pièce carrée recouverte de tôle ondulée, sur la façade de laquelle était peint sur du bois, avec de la peinture rouge : « Église de Dieu Maranatha ». Le seul luxe était les céramiques beiges, brillantes dont le sol était pavé.

La première fois que j'ai vu des Blancs de ma vie c'était à l'église. Il en venait plein, avec des maillots sur lesquels il y avait des inscriptions comme « Cœurs pour Haïti », « Ohio aime Haïti ». Ils paraissaient toujours heureux dans notre paysage désolé, nous les aidions à donner un sens à leur vie, ils nous apportaient la charité qu'ils avaient recueillie en notre nom auprès de leurs compatriotes et nous offraient beaucoup de prières, tout en souhaitant que rien ne change pour nous afin qu'ils ne manquent pas de bonnes missions dans les années à venir et ne perdent pas l'occasion de sauver leurs âmes à eux.

Victor n'était pas peu fier de pouvoir faire venir des étrangers dans la Cité, sa femme se considérait clairement au-dessus des autres, rien qu'à sa façon de marcher, de parler, à sa promptitude à donner des conseils sur la vie conjugale, la vertu et même la vie éternelle. Elle nouait un foulard autour de son cou qui s'envolait quand elle marchait et donnait l'impression qu'elle était poussée en avant, elle répondait aux compliments sur son élégance par un « c'est la grâce de Dieu » qui sortait comme dans un souffle. Plusieurs femmes avaient essayé le foulard, les tissus qu'elles coupaient étaient peut-être trop lourds ou elles n'avaient pu obtenir la grâce de Dieu.

Les enfants avaient des prénoms tirés de la Bible, Jonas, Sarah, David, Esther et Ruth. Ils étaient encore jeunes, Jonas l'aîné, qui avait quinze ans, prêchait dans la Cité et aux alentours, la Bible sous le bras, convaincu, les yeux fermés, les bras ouverts. Il avait l'air d'un vieux avec ses chaussures pointues, son pantalon gris coupé dans un tissu lourd, sa chemise blanche en coton, boutonnée jusqu'à la gorge. Victor parlait de ses enfants comme des exemples dont les autres jeunes pouvaient s'inspirer. Il y avait quelque chose de pas très charitable dans ce qu'il disait, Même Grand Ma l'avait relevé, elle qui croyait que j'étais moi aussi un exemple de bonté, de sagesse et d'abnégation.

Victor faisait partie de ceux qui produisaient le plus de bruit dans la Cité. Il n'en avait pas l'air avec ses cheveux grisonnants, sa voix qui devenait douce dès qu'il laissait la chaire, la douceur qu'il mettait quand il appelait tout le monde « ma sœur », « mon frère ». L'église était dotée de puissants haut-parleurs qui permettaient à Victor de compromettre tous les silences pendant les services. Le bruit avait couru que Victor aimait bien Fany. Il était touché par sa tristesse, sa solitude, sa beauté, probablement troublé par ce qui se racontait sur sa prétendue maladie d'amour aussi. L'homme de Dieu bégayait quand il croisait la jeune femme. Il n'avait jamais osé lui dire quoi que soit, mais sa gêne faisait jaser, et les anecdotes autour étaient arrivées jusqu'à Andrise qui avait adopté comme stratégie de s'approcher de Fany afin de pouvoir mieux surveiller son mari. Elle avait commencé par lui offrir un foulard rose avec des fleurs bleues, de ceux qui étaient assez légers pour s'envoler, que Fany avait reçu avec plaisir. Elle l'avait invitée à rejoindre le groupe des Dames de Maranatha. Les Dames s'occupaient à étudier la Bible, aller prier l'une chez l'autre et chez des fidèles de l'église qui en faisaient la demande.

La jeune femme au début était flattée, elle qui n'allait à l'église que rarement, jusqu'à ce qu'elle comprenne, grâce à Élise qui écoutait à toutes les portes, les motivations d'Andrise. Elle avait demandé à sa sœur de l'aider à repousser la femme du pasteur. Un mardi après-midi, voyant que Fany n'était pas venue à l'étude, elle avait été la chercher chez elle. Elle avait très peur de la perdre de vue. Elle avait trouvé Élise sur la galerie, saoule comme dans ses beaux jours, Fany lui ayant donné de l'argent pour s'acheter de l'alcool, qui lui avait fait un geste de la main lui demandant de ne pas s'approcher.

— Je veux voir Fany…

— Elle est occupée, elle ne peut recevoir personne.

— Comment ça, avec qui elle est ?

— Ça ne vous regarde pas, madame.

Andrise s'était mise à crier le nom de Fany et avait essayé d'entrer malgré l'interdiction d'Élise qui l'avait repoussée et fait sortir d'un air menaçant en lui envoyant à la figure une bouffée de la fumée de sa cigarette. J'étais sur ma galerie, j'avais arrêté de martyriser mon téléphone pour suivre la scène. Andrise semblait n'avoir pas renoncé à voir Fany, Élise s'était saisie d'un balai qui se trouvait contre le mur, dans le coin, et le tenait avec les deux mains, sa cigarette toujours à la bouche, les yeux à demi fermés à cause de la fumée. Fatal qui passait avait déposé ses deux seaux, ajusté sa casquette et regardait en émettant des petits rires très agaçants. Andrise avait compris qu'elle devait partir avant qu'il y ait un attroupement. Elle pleurait, et son foulard jaune la devançait dans ce qu'il restait de lumière du jour.

Fany ne remettait les pieds à l'église qu'en des occasions particulières, les funérailles ou les mariages, et Victor perdait toujours ses moyens quand elle était dans les parages. Andrise avait beaucoup changé, elle était toujours en panique, regardait autour d'elle comme si elle craignait que le diable lui-même ne fasse son apparition. Victor avait gardé sa douceur, son ton invitant et empathique qui le catégorisait dans « les hommes bons ».

Fatal avait raconté la scène à quelques personnes qui étaient venues me demander s'il disait la vérité. Je leur avais répondu que je n'avais rien vu, rien entendu. J'avais déjà assez de désagréments avec Joël et Patience, qui tenaient une comptabilité rigoureuse de ce que je postais sur Facebook.

« *Dèyè mòn gen mòn.* Derrière chaque montagne s'en cache une autre », aimait répéter Grand Ma. Je commençais à comprendre. Joël avait plusieurs autorités qu'il soutenait et qui le soutenaient. Il provoquait des déstabilisations sur demande. Il pouvait avoir tout ce qu'il voulait. Les grands envoyaient leurs larbins lui apporter des enveloppes, il appelait des gens haut placés sur leur portable. Je n'avais pas tort de croire que Patience était une Première Dame. Il se murmurait que les hommes du gang étaient mécontents. Le partage des gains n'était pas équitable. Ils étaient d'accord pour partager la nourriture et les biens saisis sur la route avec les habitants de la Cité de la Puissance Divine, de payer certaines fois pour les funérailles, mais réclamaient une part raisonnable des espèces reçues en compensation de leur travail de soldats.

Victor éructait à l'église, Soline balayait devant sa porte, Élise avait des écouteurs branchés sur sa radio téléphone et dansait avec un partenaire imaginaire, j'attendais Carlos, il n'était pas loin de dix-huit heures quand j'entendis plusieurs tirs consécutifs. On avait l'habitude des tirs dans la Cité. Je vis passer en courant quelques minutes plus tard quatre hommes armés. Ils avaient pris la direction de la base. Un froid était tombé. Il se passait quelque chose. Soline rentra chez elle et ferma la porte. Élise lâcha son partenaire imaginaire, enleva ses écouteurs et rentra chez elle. Je fis pareil. Tonton Frédo arriva quelques instants plus tard, il avait dû faire aussi vite que lui permettait ses jambes d'alcoolique, il était essoufflé. À peine avait-il fermé la porte que les tirs redoublèrent et continuèrent jusqu'à l'aube. On fêtait visiblement quelque chose. J'ai pensé à ma grand-mère ce soir-là. Elle mourait de peur une seconde fois. Je m'étais levée vers vingt-trois heures pour aller voir si mon oncle allait bien, il dormait.

Il fallait bien que le jour se lève, que les fêtards se couchent enfin. Je n'avais pas beaucoup dormi. J'avais peur qu'un projectile ne transperce la tôle rouillée. C'était déjà arrivé dans la Cité.

Ce fut à la radio que nous apprîmes, à sept heures du matin, la mort de Joël. Il avait été tué par un de ses hommes qui avait automatiquement été proclamé « Chef ». Ce fut à dix heures, quand finalement j'avais pu recharger la batterie de mon téléphone chez Andrise, que je vis sur Facebook les photos de ce qui restait du corps de Joël. Ç'aurait pu être n'importe qui, tant le visage était ensanglanté et boursouflé. Le cou était détruit, sans doute par des balles. Sa chemisette blanche était devenue rouge, il lui manquait les deux bras. La partie inférieure de son corps était brûlée. Des cannettes et des bouteilles de bière entouraient le cadavre. Ses tueurs avaient fait la fête toute la nuit. J'avais commencé à effacer tout ce que j'avais posté sur lui pour ne pas avoir de problème avec le nouveau maître de la Cité.

C'est Livio qui m'avait appris le nom du nouveau Chef. Il s'appelait Cannibale 2.0. Il avait dégusté un morceau du sexe de Joël cuit par les flammes. Ce qui avait suscité la sincère admiration de l'assemblée. La vidéo de la dégustation ne tarda pas à circuler. Je reconnus le tatoué musclé. Il avait les yeux vitreux, tenait sa mitrailleuse dans la main droite et un morceau de viande noircie qu'il portait à sa bouche. J'ai vomi de dégoût.

Je pensais à Patience. Avait-elle été tuée aussi ? Je n'osais pas poser la question. J'aurais pu lui envoyer un message privé sur Facebook, mais était-ce prudent ? Peut-être avait-elle été forcée de donner son mot de passe ? Je ne voulais pas appeler Pierrot, je ne savais pas s'il était dans les bonnes grâces du Chef tout neuf. J'avais cherché sans succès sa silhouette dans les photos. Peut-être était-il le photographe ? J'avais reconnu Jules César par contre. Il tenait un Galil dans une main, une bouteille de bière dans l'autre, l'air concentré.

Le tatoué musclé avait l'air d'un Asiatique. Il avait les yeux bridés et une calvitie assez avancée. La chemise qu'il portait dans la photo était trop serrée, il avait un jean et des bottes noires en velours. D'autrès photos et vidéos ne tardèrent pas à envahir les réseaux. Il s'était filmé et photographié lui-même. Il donnait son avis sur tout. La circulation, la vie chère, les ghettos. L'actualité. Il disait vouloir que des femmes le rejoignent pour mener le combat pour la justice sociale. Cannibale 2.0 avait, en quelques heures, engrangé des centaines d'« amis » et de *followers*, dont moi. Il avait fait un bond spectaculaire de l'ombre à la lumière et déjà, je suppose, certains de ses hommes voulaient prendre sa place.

En fait, tous les adolescents des cités rêvent d'être chef de gang. C'était l'un des rares rêves accessibles. Il venait avec l'argent, une forme de célébrité garantie par les médias sociaux, les médias traditionnels, la pusillanimité des élus.

Cannibale 2.0 ne tarda pas à se montrer dans la Cité. Il déambulait, entouré de ses hommes armés. Pierrot était vivant. Il marchait avec le groupe qui avait intégré deux femmes. Natacha, plus rosée que jamais, transpirant de tous ses pores, c'était peut-être un des effets secondaires des crèmes qu'elle utilisait, et une autre jeune femme que je ne connaissais pas, qui était habillée comme un homme et avait des allures d'homme. Ils se laissaient prendre en photo, c'était la logique 2.0 après tout.

Selon Fatal, ce qui restait du corps de Joël avait été enterré dans la cour de la base. À même le sol. Et c'étaient Jules César et le bandit avec des dreadlocks qui s'en étaient chargés, le lendemain de son assassinat. Livio, lui, soutenait qu'il avait été inhumé sur le terrain de basket. Victor avait osé un sermon sur le sixième commandement « *Ou p ap touye moun*. Tu ne tueras point» qui avait mis toute son assemblée mal à l'aise. Il avait reçu l'ordre dans la journée de se mêler de ce qui le regardait, s'il voulait continuer à officier dans la Cité.

Je continuais à imaginer des scénarios de ce qui avait bien pu arriver à Patience. Personne ne semblait se souvenir d'elle, même les «femmes vaillantes» qu'elle avait reçues et à qui elle avait offert du riz, ou encore Yvrose à qui elle avait donné de l'argent pour les funérailles de son mari. Tous avaient effacé cette mémoire compromettante. Il fallait être dans les bonnes grâces du nouveau, lui exposer les différents problèmes, lui rappeler qu'avant la Cité était abandonnée, qu'il était celui qui cristallisait les espoirs de tout un chacun. Une seule mort ne suffisait pas aux vaincus.

Une semaine après la mort de Joël, une banderole en noir et blanc sur laquelle était écrit «Adieu Joël» avait été hissée sur le chemin menant à la base. Elle était restée environ deux heures. Une délégation, dépêchée par Cannibale 2.0, était venue expressément l'enlever. Les hommes avaient tiré à l'arme automatique pour envoyer un message à celui qui avait pris le risque de poser cet acte. Des photos de la banderole avaient été prises et circulaient sur Facebook, contre cela personne ne pouvait rien.

À la suite de cet incident, le nouveau Chef avait décidé de faire patrouiller la Cité deux fois par jour. Tôt dans la journée et tard dans la soirée. Les taxes dues par les commerçants avaient subi une hausse de dix pour cent. La gourde avait beaucoup perdu de sa valeur, ce qui causait au Chef et à ses hommes un manque à gagner, d'autant que l'une des promesses de Cannibale 2.0 était de donner un peu plus d'argent à ses sbires.

À Bethléem aussi le chef avait changé. Fanfan Le Sauvage avait disparu. C'était maintenant Dread Bob qui le remplaçait. Ça avait été du travail proprement fait. Fanfan s'était évanoui comme de la fumée. Aucun corps. Ses anciens proches avaient répondu en riant à un journaliste qui leur avait demandé par téléphone ce qu'il était advenu de lui: «*Li ale Chili.* Il est parti au Chili», expression devenue courante depuis que les Haïtiens laissaient massivement le pays pour émigrer au Chili.

Carlos était agité, les travaux dans sa maison à Tabarre prenaient plus de temps que prévu, c'était en raison du prix élevé des matériaux de construction, de ses recettes de vente de boisson qui baissaient, les gens avaient de moins en moins d'argent, les revendeurs laissaient massivement le pays. Il fallait que l'État en finisse avec le règne des gangs, mais au lieu de cela, le phénomène était en pleine expansion, s'énervait-il. Sa mère, avec qui il vivait, ne voulait pas non plus déménager, elle lui avait expliqué que c'était dur d'aller habiter si loin, de laisser sa rue, son église, ses amis, que la maison des vieilles personnes n'était pas que les quatre murs qui protégeaient du soleil et de la pluie, c'était un ensemble de choses qui devenaient comme des cannes sur lesquelles elles pouvaient s'appuyer, faute desquelles elles tombaient et ne se relevaient plus. Et puis, ici, c'est chez moi, là-bas ce sera chez toi, avec une femme: « *Granmoun pa rete kay granmoun*. Un adulte ne peut pas habiter chez un autre adulte. »

J'avais regardé Carlos. Il avait donc dit à sa mère que j'allais le suivre à Tabarre, alors que j'avais toujours dit non. Mon regard étonné lui avait fait baisser les yeux. J'avais envie de déverser sur lui un flot d'injures, de le frapper. Je n'en fis rien. J'avais besoin de lui. Déjà qu'il avait beaucoup espacé ses visites. Plus que trois fois par semaine. Je devais faire très attention à comment je dépensais. Le téléphone était mon plus gros poste de dépense, l'Internet était cher et pas performant, mais c'était le seul moyen de pouvoir être sur les réseaux sociaux. Plus question d'aller même regarder ce que proposaient les vendeurs de vêtements usagés ni de m'offrir une bière, l'argent que j'avais me permettait seulement de manger et de faire manger Frédo. Carlos me tenait par le ventre. Il le savait. Mais plus je le regardais, plus je savais qu'il me serait impossible de passer mes journées à ses côtés. Je commençais sérieusement à réfléchir à ce que je ferai quand il déménagera au nord de la capitale.

J'étais plus maigre que d'habitude, Carlos me demandait si je pensais à me nourrir. C'est bien d'être mince, me disait-il en ajoutant qu'il ne fallait pas être squelettique. Sans m'en rendre compte, j'étais préoccupée depuis l'assassinat de Joël, je réfléchissais trop aussi au moyen de gagner un peu d'argent. Carlos voulait que je lui en demande, de l'argent, que je prenne conscience que j'avais besoin de lui, que j'avais tout à gagner à le suivre. Plutôt crever. Je ne laisserai jamais Tonton seul. Grand Ma ne m'avait jamais abandonnée. Il fallait que je voie Pierrot. Il était con mais il pourrait me faire des suggestions, me passer un peu d'argent éventuellement. Tout était flou dans ma tête. Je n'avais pas de solution.

Ce fut Pierrot qui me donna des nouvelles de Patience, six semaines après l'assassinat de Joël. Je lui avais envoyé un message par WhatsApp pour lui demander de venir me voir. Il n'avait pas répondu, mais à l'heure demandée il était là. Son bras droit toujours prisonnier de l'écharpe, il était plus mince que l'autre et il tenait son arme avec la main gauche. Il semblait n'avoir pas dormi depuis plusieurs jours. Je me suis assise à ses côtés sur le perron de la maison. J'ai soutenu le regard désapprobateur et intrigué de certains passants. Pierrot ne les voyait même pas. Il avait perdu son âme cela fait longtemps. Il était dépassé par sa vie. Il avait vu tomber plein de camarades, comme il avait sans doute tué des gens dont le seul tort avait été d'être au mauvais endroit au mauvais moment, d'avoir quelque bien à voler ou dont l'exécution a été commanditée par un payeur qui n'avait pas eu besoin d'expliquer les motifs de la commande.

Je ne savais pas grand-chose de Pierrot. Il était né dans la Cité, et sa mère l'avait élevé seule. Elle était bonne à tout faire chez des particuliers, disposait d'un jour de congé par semaine, le mardi. Elle arrivait chez elle vers dix heures du matin, c'était loin et il valait mieux attendre que passe l'embouteillage des premières heures de la journée afin de facilement trouver une place dans les transports en commun. Elle repartait le mercredi avant le lever du jour parce qu'elle devait arriver sur son lieu de travail avant sept heures du matin. Elle avait essayé de faire du commerce, mais ça n'avait pas marché. Elle avait deux autres enfants plus jeunes que Pierrot, deux filles adolescentes, qui demeuraient seules toute la semaine, elle aurait voulu que leur grand frère s'occupe un peu d'elles, mais pensait en même temps que c'était mieux qu'il se tienne à distance. Ses mauvaises fréquentations risquaient de faire du mal aux filles. Quand elle acceptait de répondre aux personnes qui lui demandaient des nouvelles de son fils, elle répondait tristement : « C'est un cas perdu. » Elle pensait que s'il avait eu un père, il n'aurait pas aussi mal tourné. Ces derniers mois, quand il y avait des problèmes dans la Cité, elle appelait Soline pour avoir des nouvelles de son fils qui à son tour sortait sur sa galerie me demander sans ambages :

— As-tu des nouvelles de ton ami Pierrot ?

Pierrot n'avait pas d'ami. Il était au service de sa propre cause, comme tous ces hommes qui se promenaient avec une arme et qui n'avaient pour acquis que le moment qu'ils vivaient. Comme Grand Ma, la maman de Pierrot avait peut-être rêvé qu'il devienne médecin, agronome, pour enfin faire un pied de nez au destin, lui permettre d'avoir une jolie maison, comme celle des gens chez qui elle s'échinait six jours par semaine pour un salaire tellement misérable qu'il ne suffisait pas pour faire manger correctement ses filles.

Pierrot appréciait visiblement cette parenthèse, loin des autres brigands, de la pression du Chef qui devait être énorme. C'était comme cela à chaque fois qu'il y en avait un nouveau. Il ne disait rien. Il attendait sans doute que je commence. C'était après tout moi qui lui avais demandé de venir.

— Comment va Patience ?

Il avait sincèrement sursauté en entendant ma question. Je n'avais pas pu m'en empêcher, je pensais souvent au sort de Patience depuis la mort de Joël.

— Elle est vivante. C'est tout ce que je sais. Le Chef ne veut pas qu'elle sorte, elle sait trop de choses. Elle a fait plusieurs crises suite au… départ de Joël. Elle va mieux. Le patron voudrait qu'elle continue les programmes qu'elle avait entamés, ses réunions avec les femmes, créer un restaurant communautaire qui permettrait aux enfants de bien manger une fois par jour. Elle ne se sent pas encore assez bien pour prendre une décision. Elle se repose.

— Comment ça, il ne veut pas qu'elle sorte, c'est une adulte…

— Cécé, tu ne m'as pas fait venir ici pour me parler de Patience ? Je n'ai d'ailleurs pas le droit de parler des affaires du Chef. Si tu n'as rien d'autre à me dire, je vais te laisser.

— Non, je ne t'ai pas fait venir pour cela. Je voulais te dire que je cherche un travail. J'ai besoin d'argent.

Pierrot semblait réfléchir très fort. Il avait le front plissé et les yeux mi-clos. Il s'était brusquement levé, il avait déposé son arme par terre et sorti de sa poche une liasse de gourdes de laquelle il sortit trois billets de mille gourdes qu'il me tendit.

—Je repasserai te voir.

Il repartit dans la direction de la base, plus las que quand il était arrivé, il venait de faire un gros effort mental et n'avait rien trouvé à me dire concernant mon besoin de travail. Élise était en face en train de nous observer. Sitôt Pierrot parti, elle s'était mise à me faire des signes de la main m'invitant à venir dans sa direction, accompagnés de « psitt » sonores. Je l'avais ignorée. Je n'étais certainement pas celle qui paierait pour le tafia aujourd'hui. Je suis partie m'acheter à manger.

Je n'avais pas vu Félicienne depuis la mort de Grand Ma. Elle était devant sa maison où elle avait fait faire un grand étal sur lequel elle exposait des bouteilles d'huile de cuisine, des spaghettis en sachets, des boîtes de céréales qu'elle vendait. La maison était coincée entre une boutique de prêt sur gage et une autre où l'on réparait de vieux téléviseurs, des radios et autres appareils électroniques. Les deux diffusaient chacune une musique différente, à plein volume. Félicienne avait développé avec le temps l'habitude de parler très fort, à force de subir les décibels. Je faisais en général semblant de ne pas la voir. Féfé avait toujours un rêve à raconter. À croire que dormir était son occupation à plein temps. Les rêves, selon elle, permettaient de comprendre la réalité, de devancer les choses. Elle conseillait d'aller raconter les mauvais rêves dans les latrines pour conjurer le sort. C'est un « Cécé » sonore qui m'avait obligée à me retourner dans sa direction. Je m'étais dirigée vers elle. Son large sourire était réconfortant, elle avait les deux mains sur les côtés.

Félicienne devait avoir près de soixante-dix ans, elle était apparemment en forme avec ses cheveux entièrement blancs, ses lunettes dont les montures bleu foncé la faisaient paraître encore plus gaie. La première chose qu'elle m'apprit c'est qu'elle avait encore été voir son fils Baptiste à New York. Il avait eu une seconde fille avec sa femme. J'avais failli lui répondre que je n'étais pas au courant pour la première. Je n'avais pas envie de casser son enthousiasme, et puis elle semblait réellement contente de me voir. Féfé, comme tout le monde l'appelait, touchait son interlocuteur en parlant. Elle ajustait mon maillot qui n'en avait aucunement besoin, rangeait mes cheveux qui étaient tirés et attachés avec un chouchou, me touchait le visage, me lissait les sourcils et voulait savoir comment j'allais depuis le décès de ma grand-mère. Elle me demandait aussi des nouvelles de mon oncle qu'elle connaissait depuis qu'il était gamin. Lui et Baptiste jouaient quelquefois ensemble, avait-elle ajouté. Elle profita de l'occasion pour me dire que son fils Baptiste et sa famille déménageaient dans le Connecticut où sa femme avait trouvé une meilleure position. Elle aimait beaucoup New York, mais on lui avait dit que le Connecticut était beau aussi. Différent mais beau. Comme ça elle aura l'occasion de connaître deux endroits de ce pays magnifique.

Félicienne avait eu deux enfants. Deux garçons. L'aîné avait émigré aux États-Unis assez jeune, il avait bénéficié d'une formation offerte à certains cadres moyens du ministère du Plan, il avait choisi de ne pas revenir. Il avait épousé une femme d'origine haïtienne et avait fait sa vie là-bas, il s'en tirait bien, s'occupait de sa mère comme il pouvait. Le deuxième travaillait comme démarcheur de produits pharmaceutiques, il était marié et habitait à Port-au-Prince. Il avait fait un enfant hors mariage qu'il avait confié à Féfé. Un petit garçon qui avait maintenant sept ans et qui allait à l'école chez Maître Jean-Claude, comme moi autrefois. Féfé habitait dans deux pièces avec son petit-fils, son troisième mari, un homme qui n'ouvrait jamais la bouche, la fille de celui-ci et son fils adolescent. Je voyais souvent le petit. Quand il n'était pas à l'école il était tout le temps assis devant, à côté de sa grand-mère qu'il appelait maman ; les autres, je les connaissais vaguement.

Fervente catholique, Félicienne portait en permanence une bague dizainier, disait prier pour ses fils, le pays, le pape. Entre les « pauvre petite » et les nouvelles de son fils Baptiste, j'avais reçu moult baffes. Elle m'avait offert, avant de me laisser partir, une boîte de céréales et deux petites boîtes de lait concentré.

Je ne pouvais m'empêcher de penser à la générosité qui résistait à la très grande violence, la misère et l'indifférence qui existaient dans la Cité. Féfé faisait partie de ceux qui aidaient, avec les maigres moyens dont elle disposait, c'est ce qui permettait que tienne encore cet échafaudage fragile sur lequel on ajoutait chaque jour de la frustration et du désespoir.

Le New York de Féfé avait fait rêver Grand Ma, il faisait rêver la Cité et au-delà. Il n'était souvent qu'un mot générique pour se figurer « l'ailleurs ». Cet ailleurs où Tonton Frédo avait laissé son âme, son énergie.

On s'embourbait au sens propre dans la Cité. Il avait plu hier soir, des lots de fatras étaient assemblés çà et là, des flaques, des sacs plastiques bleus, roses et blancs avaient été déterrés. Des parasols délavés, des tentes faites avec des piquets et recouvertes de plastiques épais, gris ou bleus, aidaient des marchands installés n'importe comment à se protéger du soleil. La ville était un grand marché de seconde main, des vêtements, de l'électronique, de l'électroménager, des meubles dont la durée de vie utile était passée depuis très longtemps. Ces objets encombraient les trottoirs, et quand un bricoleur finissait par confirmer qu'ils ne pouvaient plus servir à rien, ils se retrouvaient dans les ravines, grossissaient les piles de fatras. Les pièces de voitures, certains des objets jetés étaient récupérés par des plasticiens qui les transformaient en œuvres d'art, forçant carrément la beauté à entrer et habiter les rebus et la ferraille. Les gens étaient insensibles au délabrement généralisé, au chaos qui occupait chaque centimètre. Au fond, eux aussi ils étaient en ruine, autant que l'environnement dans lequel ils vivaient.

Je connaissais toutes les sensations de cet épuisement ; cette impression que la vie va s'arrêter dans la seconde qui vient ; le corps qui se rebelle, refuse d'avancer, capitule, encaisse les coups de semonce de la faim, de tous les manques ; l'esprit qui se ratatine, la fulgurance des interrogations, les colères inaboutties, les réponses qui ne viendront jamais.

Il faisait chaud. Je sentais que j'allais, avec tout ce qu'il y a autour de moi, les gens, toutes ces marchandises sans valeur, ces objets sans avenir comme nous, ces fatras, me liquéfier, que la pluie allait se charger de nous mener jusqu'à l'océan, pour un grand bain de fraîcheur et de rédemption.

Il fallait que Cécé La Flamme revienne. Qu'elle renaisse de la peur qui l'avait fait taire depuis l'autodafé du corps de Joël, la disparition de Patience. J'avais vécu ces événements comme la chance de me faire oublier. J'avais cru recouvrer ma liberté en ne parlant plus, mais je me retrouvais aussi morte, aussi démunie, aussi larguée que tout le monde.

Je l'avais croisée sans la reconnaître du premier coup. Elle n'avait plus d'odeur. Elle avait perdu sa lenteur calculée, les gestes qu'elle faisait pour repousser en arrière ses tresses. Elle marchait vite, pour laisser derrière elle le passé. Pour vaincre le deuil. Peut-être. Patience avait beaucoup maigri. Comme si elle avait été rabotée devant et derrière. La Première Dame marchait désormais à côté de sa chute. Ceux qui la reconnaissaient n'osaient pas la regarder. Ceux à qui Joël avait fait quelque mal avaient un sourire en coin et chuchotaient que ce n'était que le commencement de sa déchéance.

Patience portait un jean trop grand, une chemise à fleurs, elle avait chaud sous ses tresses lourdes. La chemise en coton léger était trempée de sueur, particulièrement sous les aisselles. Elle était désormais coursière du gang. Cannibale 2.0 avait du mal à cacher ses sentiments pour elle. La jeune femme avait été bonne avec les hommes du temps de son règne, elle osait même les défendre auprès du Chef; Cannibale 2.0 voulait qu'elle soit désormais à lui, en lui promettant plus de pouvoir qu'elle n'avait avant. Elle avait demandé un temps pour réfléchir, lui disant qu'elle devait consulter les loas et les esprits qui commandaient sa vie, qui pouvaient devenir violents si elle leur désobéissait.

Patience m'avait regardée. Quelques secondes. Un regard froid, méchant, qui m'avait stoppée net. Pourquoi avais-je pensé que je pouvais l'approcher, lui parler ? Elle n'avait besoin ni n'avait droit à la compassion de personne. Cannibale 2.0 n'accepterait jamais qu'on croie qu'elle regrette Joël. C'était un passé qu'elle ne voulait pas partager, les jeux de montre-chagrin n'étaient pas pour elle, il fallait les laisser pour les nombreux autres morts de la ville, et c'est ce qui ne manquait pas, d'ici à Bethléem en passant par Source Bénie et tant d'autres.

Le dreadlocks, figure bien connue du gang, n'était pas loin, je ne l'avais pas remarqué. Il avait sans doute pour mission de suivre Patience, discrètement. On ne croirait pas la discrétion possible pour un être aussi chevelu, mais je ne l'avais pas remarqué avant que Patience s'éloigne dans son pantalon trop large, ses souliers plats aux semelles en caoutchouc dans lesquels il était sans doute plus facile de marcher que les jolies sandales pailletées qu'elle portait avant. Elle avait dans la main gauche un sac plastique noir opaque, de ceux qu'on utilise quand on veut cacher les misérables produits qu'on vient d'acquérir au marché ou le bol graisseux contenant le repas qu'on vient d'acheter d'une des marchandes du coin ou chez Grand Ma quand elle était vivante.

Je ne savais pas avant que la grâce pouvait ainsi fuir un être, ou qu'un être pouvait volontairement abandonner la séduction, éteindre toutes les lumières, fermer toutes les fenêtres de sa vie pour attendre un jour improbable.

Le corps avait été décapité. Il gisait dans le corridor, entre chez Edner et chez Joe. Personne ne manquait pourtant à l'appel. Ses poignets étaient ligotés par-derrière, le sang avait rendu brune sa chemise rouge. Il avait dégouliné jusqu'à la ceinture de son jean bleu clair, et de larges taches rouges parsemaient ses bottes, des chaussures de marche aux semelles dentelées jaune clair. Il était propre. La tête qui manquait devait être jeune. Bien portante. Les épaules étaient larges et le corps musclé. Un filet de sang sortait de ce qui restait de cou, un corps chagrin qui pleurait sa tête.

Joe et Edner avaient cloîtré leurs petits qui, eux, n'entendaient pas rester à l'intérieur. C'est l'aîné de Joe, neuf ans, qui avait découvert le corps alors qu'il était sorti pisser devant la maison, sa brosse à dents dans la bouche. Ils geignaient, pleuraient en demandant de sortir pour voir. Le plus remuant avait déjà reçu une raclée destinée à le faire rester tranquille et à dissuader les autres. Ils essayaient de regarder par les petits trous de la tôle rouillée qui servait de mur à la maison de Joe. Sur le perron d'Edner, sa femme qui accouchait à peu près tous les neuf mois arborait un ventre bien rebondi, portait un bébé dans ses bras et avait un petit qui lui tenait la jupe pour rester debout.

J'avais sorti mon téléphone et commencé à photographier le cadavre et tous ceux qui l'entouraient. C'est ce qui faisait la différence entre mes photos sur Facebook et celles des autres, je ne montrais pas que le cadavre, je permettais de voir la misère des gens, leur sidération, leur résignation.

La femme d'Edner avait craché. Un crachat épais, blanchâtre, contenant sa colère, son impuissance. Elle avait brutalement repoussé le petit qui s'accrochait à sa robe, qui n'était en fait qu'un morceau de tissu noué au-dessus des seins. Le bébé d'un peu plus d'un an était tombé sur ses fesses nues et hurlait, sa mère s'était mise à hurler aussi, la bouche remplie de salive, ce devait être un effet de la grossesse. Je n'avais pas tout de suite compris que c'était contre moi qu'elle en avait jusqu'à ce que je réalise que j'avais volé la vedette au décapité.

— Arrête de nous prendre en photo, petite, tu veux aller montrer notre misère, tu veux aller faire de l'argent avec nos images ?

Je m'étais arrêtée net. Ce n'était pas la première fois qu'on me demandait de ne pas faire de photo, mais c'était la première fois que je percevais une telle haine. Les gens me regardaient d'un air désapprobateur. J'avais mis le téléphone dans la poche arrière de mon jean et laissé les lieux avec regret.

Aussitôt rentrée à la maison, j'avais entrepris de poster les photos sur Facebook. J'étais personnellement émue de voir ce que j'avais capté. Le bébé en guenilles qui hurlait, assis par terre, sa mère trop maigre qui ne tenait debout que grâce à la colère, l'enfant qu'elle tenait dans ses bras, celui qui était dans son ventre comme une menace, les bicoques, les curieux qui entouraient l'homme mort, leurs vêtements de différentes couleurs. J'avais seulement écrit : « *Nou tout pral pèdi tèt nou nan peyi sa a.* Nous allons tous perdre la tête dans ce pays. » J'ai eu des demandes d'amitié en cascade, dont des journalistes connus, des personnalités politiques, des intellectuels.

Des étrangers accompagnés d'un traducteur haïtien étaient venus me voir, ils voulaient que je parle, que je donne un entretien, mais je ne pouvais répondre que par oui et par non, ils voulaient des informations que je n'avais pas, savoir des choses que je ne pouvais pas révéler ou tout simplement formuler. Au fond, que savais-je de plus que les habitants de la Cité de la Puissance Divine, de Bethléem, de Source Bénie, de Mains de Jéhovah, de la grande capitale, de tout le pays, du monde ?

Et puis c'était bizarre de me retrouver dans le corridor avec cet homme qui traduisait ce que je disais aux étrangers, cette femme blanche et ces deux hommes blancs avec leurs sandales, leurs pantalons courts. Ils juraient avec le paysage. Ils l'ont senti. Eux non plus n'avaient pas le droit d'être là, m'ont-ils dit. Les consignes de leur ambassade étaient formelles. Ils m'ont proposé d'aller ailleurs, question de s'asseoir, de manger un morceau. Je voulais bien. Je m'empressais de manger, pas parce que j'avais faim, mais par peur de manquer de nourriture, pour les faims passées et à venir. Nous avons marché jusqu'à leur véhicule qui était garé à l'entrée de la Cité, nous y sommes montés.

Le traducteur était aussi le chauffeur. J'étais assise derrière, au milieu des deux hommes. Mimose m'avait raconté quand j'étais petite que les Blancs étaient des loups-garous qui mangeaient les enfants, qu'ils les mettaient sur leurs dos, s'envolaient avec eux jusque dans des pays froids et lointains, qu'ils étaient à jamais séparés de leurs familles. J'avais regardé l'homme assis à ma droite et il avait souri. Ils n'avaient pas l'air de vouloir me manger, ils bavardaient joyeusement en anglais, je ne comprenais rien. La voiture se dirigeait vers le haut de la ville, ce fut bientôt la Faculté de médecine, le Champ de Mars, Turgeau, la route du Canapé-Vert. Je savais qu'on était à Pétion-Ville, mais je n'avais aucun repère dans cette ville où quasiment tous les commerces du bas de la ville étaient allés s'établir, d'abord pour des raisons de sécurité, ensuite parce que le tremblement de terre de 2010 avait ravagé le centre historique de Port-au-Prince.

Nous étions à Place Boyer, m'avait informée le guide avec un sourire. Aussitôt qu'il avait garé la voiture, quatre adolescents s'étaient approchés pour lui proposer de la surveiller, de l'essuyer et pour demander de l'argent aux « Blancs » qui ont souri bêtement. Ils nous ont suivis jusqu'à l'entrée du restaurant et ont été dissuadés par la mine de l'agent de sécurité.

C'était la première fois de ma vie que je rentrais dans un endroit pareil. Le seul restaurant que je connaissais était « Chez Morel », ce n'en était pas vraiment un, Morel faisait juste un peu mieux que Grand Ma avait pu faire en installant une tonnelle et des chaises en plastique qui pliait sous le poids des clients.

Un jeune homme en pantalon noir et chemise blanche nous a accueillis en nous demandant si nous voulions rester dehors ou entrer dans l'espace climatisé. Le monsieur qui était assis à ma gauche et que les autres appelaient Matt voulait rester dehors. Moi ça m'était égal. J'étais bien contente de pouvoir venir dans un endroit pareil. Ils sont allés l'un après l'autre se laver les mains et m'ont recommandé de faire pareil. C'était un monde de différence d'avec la Cité. Il y avait de l'eau courante, une toilette comme on en voyait dans les films. Je me suis mise à penser à ma grand-mère. De toute sa vie, elle n'avait sans doute jamais vu des installations pareilles.

J'avais été longue, je l'ai senti au regard que m'a jeté le guide. On m'attendait pour passer la commande. Je suis allée vers quelque chose que je connaissais, du poulet pays. Ce devait être la même chose partout, je n'aimais pas les surprises.

Susan, la dame, venait de tirer une chemise de son sac à dos, de laquelle elle a sorti des pages imprimées. Drew, le monsieur assis à ma gauche, demandait au guide qui s'appelait Paul de me traduire ce qu'il disait. Les étrangers me proposaient de leur vendre les droits d'utilisation des photos que j'avais prises du cadavre décapité et des gens autour. Susan étalait devant moi, en souriant bêtement, deux papiers au bas desquels je devais apposer ma signature.

— Combien me donnent-ils ? ai-je demandé à Paul.

— *One hundred dollars*. Cent dollars.

— Je veux deux cents, ai-je dit en commençant à manger avant tout le monde.

Ils se sont regardés. Étonnés. Je jouais gros. En général n'importe qui prenait les photos quand je les postais, cela ne m'avait jamais intéressée de savoir ce qu'ils en faisaient. S'ils n'acceptaient pas, je prendrais les cent dollars, qui représentaient beaucoup d'argent pour moi.

J'étais la seule à manger et je mangeais vite. Je me demandais comment faire pour apporter le reste à Tonton. Matt a dit quelque chose que Paul a traduit :

— Ils sont d'accord pour les deux cents dollars.

J'avais essuyé mes mains dans une serviette en papier, poussé mon assiette à côté et écrit avec le stylo bleu que m'avait tendu Susan, sous le texte en anglais que je ne comprenais pas « Célia Jérôme », cela faisait longtemps que je n'avais pas écrit mon nom, cela m'a fait tout bizarre.

Matt avait réglé l'addition, en donnant une carte. Drew avait sorti de son sac une liasse de billets de cent dollars et m'en avait donné vingt en m'expliquant qu'il voulait utiliser dix photos. Je n'en avais rien à foutre. J'avais forcé les billets à entrer dans le portefeuille que j'avais en main. C'était la toute première fois de ma vie que j'avais autant d'argent.

La voiture m'avait déposée sur le boulevard Harry Truman, je devais marcher à pied jusqu'à chez moi. Je me sentais bizarre. J'avais peur de me faire voler les billets de cent dollars. Les gens devaient s'apercevoir que je n'étais pas comme d'habitude. L'argent, il y avait à la fois du bonheur et de l'angoisse à en posséder.

Quelqu'un avait utilisé un spray rouge pour écrire sur toutes les façades « Vive Jésus ». Sans doute un des nombreux fous de Dieu qui habitaient la Cité. Certains se levaient tous les matins à cinq heures, se promenaient avec un mégaphone en hurlant que tout le monde devait accepter Jésus. Je n'étais même pas intéressée à l'effacer. Cela aurait demandé de gratter le mur qui était déjà assez abîmé par le temps, et probablement que l'illuminé recommencerait. Carlos avait été dérangé par l'inscription, et trouvé un autre prétexte pour me dire qu'il fallait laisser cette cité de détraqués et de criminels.

Il n'était pas venu de toute la semaine. Il s'attendait à me trouver à demi morte de faim. J'allais bien. J'avais même de nouvelles baskets en cuir gris, de seconde main, trouvées chez les marchands installés au bas de la rue Pavée. Je faisais bon usage des dollars que j'avais gagnés. Voyant que je ne l'invitais pas à entrer, Carlos m'avait proposé d'aller manger chez Morel. On n'avait pas échangé un seul mot de tout le chemin. Je ne voulais offrir aucune occasion à Carlos de commencer un de ses habituels sermons, j'avais l'intention de lui dire ce soir que je ne souhaitais plus le revoir, j'avais été bouleversée qu'il m'ait dit que j'avais beaucoup de chance qu'il me fasse la proposition d'aller vivre dans sa maison toute neuve, que beaucoup de femmes aimeraient être à ma place alors que je ne voyais dans son offre que la possibilité de finir comme Yvrose.

Carlos ne pouvait me sauver de quoi que ce soit. Je comprenais qu'ailleurs, dans d'autres quartiers, d'autres villes, la vie devait ressembler à autre chose, être plus proche de ce à quoi une jeune personne comme moi pouvait rêver, mais n'y avait-il pas risque de perte de soi, de suivre quelqu'un qu'on était sûr de ne pas aimer ? Je pensais très fort à Frédo qui n'avait que moi quand il faisait miroiter cette boutique dans laquelle on travaillerait ensemble, qui rapporterait de l'argent, les enfants que l'on ferait. Je n'avais jamais pensé à avoir des enfants. Pourquoi faudrait-il faire des enfants en enfer ? Je sentais un calme me gagner en marchant, ma décision était prise, je ne laisserais plus jamais ce genre de conversations avoir lieu entre lui et moi.

Ça sentait bon les fritures chez Morel qui faisait son possible pour ne pas me regarder dans les yeux. Il m'assimilait aux membres des gangs avec lesquels j'avais passé une soirée dans son restaurant. Il n'oserait jamais en parler à Carlos. J'avais commandé une bière, du porc et des bananes frites, Carlos du cabri avec du riz en accompagnement et un Coca Cola. C'était une façon pour lui de me faire comprendre que la consommation d'alcool était mauvaise. La musique était forte. Il avait demandé à Morel de baisser. Il avait essayé de me prendre la main. Je ne l'avais pas laissé faire. Ma spontanéité l'avait surpris. J'avais regardé autour de moi pour voir si personne n'avait vu cette scène ridicule. La seule personne qui m'avait tenu la main dans ma vie avait été Grand Ma, et c'était très bien comme ça.

Il transpirait. Il avait l'air de se sentir mal. J'ai commencé à boire ma bière. Il regardait la bouteille de Coca en plastique posée sur la table devant lui.

— Je déménage dans deux jours. Les caisses pour le magasin commencent à partir dès demain.

— Très bien.

— J'aimerais pouvoir continuer à venir te voir. Je te laisse le temps de prendre la décision de venir me retrouver.

— Je ne viendrai pas te retrouver, c'est la dernière fois qu'on en parle. Ça ne marchera pas. Je ne suis pas le genre de fille qu'il te faut. Je ne ferai pas le ménage ni la cuisine. Je ne vendrai pas dans ta boutique, je n'habiterai pas à Tabarre, je ne vivrai pas sans Tonton Frédo.

— Tu vas crever de faim ici.

— On verra. Je ne serai pas la première. Merci de t'inquiéter.

Les plats étaient arrivés. J'avais commencé à manger. Lui pas. Il semblait pétrifié. On avait de nouveau augmenté le volume de la radio. C'était destiné à attirer des clients. Ce que je mangeais était gras et bon. Carlos me regardait, abattu.

—J'ai trente-sept ans, me dit-il.

Je ne voyais pas en quoi cela pouvait m'être utile de connaître son âge. Je l'ai regardé sans rien dire. Il ne devait pas être le seul homme de trente-sept ans de la Cité de la Puissance Divine et des alentours.

— Je voudrais fonder un foyer, il y a quand même eu pas mal de choses entre nous ces derniers mois…

— Tu as mal compris, Carlos, nous n'avons pas la même perception de ce qui s'est passé entre nous. Je ne cherche pas un mari. Je regrette qu'il y ait eu… malentendu…

Il avait posé la fourchette en plastique avec laquelle il mangeait son riz. Son assiette était presque pleine. Il cherchait Morel des yeux. Morel s'était approché. Il lui avait demandé combien il lui devait. Trois cent cinquante gourdes, avait dit le patron des lieux en continuant à prendre ses précautions pour ne pas me regarder. Il avait empoché son argent et était parti avec mon assiette vide.

Carlos s'était levé. Il avait essayé de monter son pantalon qui lui restait irrémédiablement en dessous du ventre.

— On va chez toi ?

— Non. Je ne veux pas. Je vais rester encore un peu ici d'ailleurs.

— Qu'est-ce que tu peux faire ici toute seule ?

— Recharger la batterie de mon téléphone.

Il semblait très en colère. Je m'étais mieux calée sur la chaise et ajoutais mon commentaire aux nombreux autres, très violents, sous un message posté par le président du Sénat de la République. Je ne l'ai pas regardé partir. J'ai quand même eu une sorte de chagrin quand j'ai finalement levé les yeux. J'étais soulagée qu'il parte, loin de moi, loin de la Cité, dans sa maison toute neuve à Tabarre, mais j'avais la gorge serrée, l'estomac noué. Carlos n'était pas un mauvais gars, à part qu'il ne pouvait m'imaginer que derrière un comptoir à vendre des caisses de Coca Cola et faire à manger, tout ça loin de Tonton Frédo. Et puis, il n'avait pas compris qu'il n'avait jamais été, en ce qui me concerne, question d'amour ou d'attachement.

Je ressentais brusquement quelque chose que je n'avais jamais ressenti auparavant, l'impression d'être seule, je pourrais appeler Carlos, mais j'allais le regretter, sa proposition ne m'intéressait pas. Jules César venait d'entrer sous la tonnelle. Morel avait l'air paniqué. Jules César m'avait vue et s'approchait de ma table.

— Comment ça va, petite ?

Il s'était assis en face de moi. C'était la pire chose qui pouvait m'arriver. Le verbeux criminel allait se mettre à parler de sa mère ou de gens qu'il avait assassinés. Il sentait l'essence, comme s'il en avait été aspergé. C'était vraiment désagréable. Il venait d'avaler d'un seul trait la moitié de la bière qu'on lui avait apportée. C'était trop pour moi, je m'étais brusquement levée, avais dit au revoir et laissé les lieux sans même lui donner le temps de dire un mot.

La nouvelle avait envahi la toile. Un camion-citerne transportant de l'essence avait été saisi par le gang de Cannibale 2.0. J'avais l'explication à l'odeur de Jules César.

Pierrot était mort. La nouvelle avait vite fait le tour de la Cité. Les gens convergeaient vers l'entrée, non loin de l'arcade, pour aller voir le corps, le photographier, commenter la mort de ce tout jeune homme.

— Il était membre d'un gang, ça devait finir comme ça.

— C'est bien fait pour lui, il en a tué aussi des gens.

— Sa pauvre maman ne va pas s'en remettre.

— Au fond, si elle avait confié sa vie au Seigneur, si elle avait bien prié, il n'aurait pas fini comme ça.

Ces voix, ces mots, me parvenaient comme dans un brouillard. J'avais moi aussi sorti mon téléphone et capturé l'image du corps inerte. Il avait un grand trou entre les deux yeux, son bras droit, mort avant lui, était posé sur sa poitrine. La rue sentait mauvais. Ce n'était pas le corps, la mort était récente, dans le courant de la nuit ou tôt ce matin, non, on avait déblayé une rigole où l'eau stagnait. Il était huit heures du matin. J'avais été réveillée par les cris de Fatal qui invitait tout le monde à aller profiter du spectacle. Des marchands voulaient transporter le corps de l'autre côté de la rue afin qu'il ne gêne pas le fonctionnement de leurs activités, les commerçants assis de l'autre côté de la rue s'y opposaient. Le compromis qui semblait se dégager était d'aller le déposer sur le terrain de basket, mais certains habitants de la Cité n'étaient pas d'accord. Un journaliste était arrivé sur place, il demandait s'il s'agissait d'un membre influent du gang 2.0, mais les gens ne savaient pas quel était son niveau d'influence, sûrement pas très grande, sinon il aurait encore toute sa tête, non pas cette boule trouée.

Dodo l'alcoolique était arrivé en bousculant, piétinant tout le monde, muni d'une vieille brouette artisanale dont les lattes de bois étaient couvertes de suie, il sentait l'alcool et la sueur, il avait traîné le cadavre et tant bien que mal l'avait installé sur la brouette et était parti avec en direction de la Cité. Une partie des badauds l'avaient suivi. Fatal m'avait appris dans l'après-midi qu'il avait pris le cadavre sur instruction de la mère de Pierrot et l'avait déposé chez elle afin qu'elle l'enterre comme un chrétien vivant et demande au Dieu miséricordieux de lui pardonner ses fautes.

J'avais du mal à regarder la photo du cadavre de Pierrot. Amant de fortune. Client. Ami. Inconnu. Personne. Il était pour moi tout cela à la fois. C'était un garçon perdu, pour qui les gangs avaient représenté le seul horizon, comme beaucoup de ceux qui vivaient au bas de la ville et ailleurs dans le pays. Sa mère voulait l'enterrer discrètement. L'honneur et sa situation de bonne chrétienne lui interdisaient les grandes séances de larmes, elle ne souhaitait pas l'assistance hypocrite des voisins qui ne se privaient jamais de commenter les choix criminels de son fils. Elle devait, selon eux, se sentir délivrée, remercier Dieu d'avoir rappelé à lui cet enfant dénaturé. Mais elle était dévastée autant par sa vie que par sa mort. Ce n'était pas Dieu qui l'avait rappelé. Ainsi avait décidé Cannibale 2.0 et ses hommes, criminels, voleurs et que savait-elle encore qui avaient corrompu son fils.

Facebook enlevait les photos de cadavres que je postais. J'avais même reçu un avertissement. J'avais fouillé mon téléphone pour trouver une photo de lui vivant. Elle datait de trois semaines. Il était assis sur le perron de chez moi, il soutenait de sa main gauche le poignet droit, il n'avait jamais avoué qu'il avait mal à ce bras mal soigné. Il avait l'air inquiet et un peu triste. Qui a dit que les bandits n'avaient pas d'états d'âme? Je suis allée sur Google, j'ai fait un copier-coller de la chanson que chantait Madame Sophonie avec nous dans la classe le vendredi matin pendant ma première année à l'école, l'une des rares dont je me rappelais certaines des paroles :

Au clair de la lune,
Mon ami Pierrot
Prête-moi ta plume
Pour écrire un mot.
Ma chandelle est morte,
Je n'ai plus de feu
Ouvre-moi ta porte,
Pour l'amour de Dieu.

Les trente-trois mille deux cent soixante-dix-neuf abonnés à ma page Facebook avaient réagi massivement. Beaucoup de nouvelles personnes avaient aimé ma page à la fin de la journée. Si elles avaient seulement pu aimer Pierrot de son vivant, ai-je pensé, mais ce que je pensais était irrationnel et ne comptait pas.

Je ne m'étais pas trompée. Quelqu'un avait bien frappé à la porte. Grand Ma, à ma place, aurait parlé très fort pour demander de qui il s'agit et sur un ton qui aurait indiqué à la personne qu'elle n'était pas la bienvenue. Je m'étais levée, avais augmenté l'intensité de la lampe à pétrole en remontant la mèche.

—C'est Jules, entendis-je à travers la porte. Jules César.

Qu'est-ce qu'il pouvait bien vouloir à cette heure? Je lui ai demandé d'attendre. Je ne pouvais certainement pas le recevoir dans la chambre. J'ai enfilé mes sandales et suis sortie le retrouver sur la galerie.

Il était appuyé sur le muret qui faisait face à la rue. Je me suis mise debout à côté de lui, appuyée moi aussi sur le muret. Cela faisait près de dix minutes que nous étions côte à côte sans rien dire. Je sentais qu'il avait besoin de voir quelqu'un qui avait connu Pierrot, c'est lui qui nous avait présentés.

— Tu veux aller chez Morel? finit-il par me dire.

— Non.

— Je vais nous chercher deux bières alors, j'ai soif.

Des marchands de boissons fraîches, ça ne manquait pas dans la Cité. Ils avaient recyclé de vieux congélateurs sur lesquels ils avaient apposé des cadenas et scellés dans la terre avec du béton. De gros morceaux de glace leur permettaient de garder leurs produits frais. Ils étaient disponibles jusqu'à très tard. Au bout de trois minutes, Jules César était revenu avec deux bières locales, très fraîches, déjà ouvertes et m'en tendait une.

Il avait, en une gorgée, bu la moitié de sa bouteille qu'il avait ensuite posée sur le muret pour avoir les deux mains disponibles pour tenir sa tête. Il avait visiblement de la peine.

— Le petit est mort, commença-t-il par me dire, comme si je l'ignorais.

En venant me voir, il accomplissait un devoir, c'était comme s'il visitait la famille, pour la consoler, pour s'excuser, mais il ne pouvait en aucun cas se rendre chez la mère de Pierrot.

Il venait de finir ce qui restait de sa bière et avait pris son téléphone et composé un numéro :

— Eh, yo ! Apportez-moi quatre autres bières, vous pourrez déjà récupérer une bouteille vide.

Nous étions restés silencieux à attendre les nouvelles bières. Un jeune garçon d'une dizaine d'années était arrivé au bout de cinq minutes avec un sac en plastique blanc dans lequel il y avait quatre bières. Jules sortit les bouteilles du sac, les déposa par terre, mit la bouteille vide dans le sac et le lui rendit. Il se servit de ses dents pour ouvrir une des bouteilles, d'un geste rapide, sûr, qui montrait qu'il en avait l'habitude.

— Pierrot a laissé fuir Patience. Il a donné sa vie pour elle. Le Chef voulait qu'elle reste. Il voulait qu'elle se mette avec lui. Il était amoureux d'elle. Il lui avait permis de continuer à occuper la chambre qu'elle partageait avec Joël, il lui donnait de l'argent qu'elle n'utilisait pas, elle se nourrissait à peine, elle était presque méconnaissable tant elle avait perdu du poids. Elle lui avait demandé de la laisser partir. Il avait refusé pensant qu'elle finirait par l'accepter. Elle sait lire, écrire et comment s'y prendre avec les grands, madame Patience. C'est elle qui allait chercher l'argent dans les bureaux, discuter avec les grands de ce pays, leur dire tout en douceur que s'ils ne payaient pas les routes seraient bloquées. Cannibale 2.0 la faisait accompagner par le rasta pour être sûr qu'elle rentrerait après chaque course. Certains jours, nous avons l'impression que Cannibale est jaloux du mort, il veut s'approprier tout ce qui a été à Joël, et il vit de plus en plus mal la résistance de Patience. Hier soir, il lui a dit qu'il ne tolérerait plus qu'elle se refuse à lui, qu'il viendrait la retrouver dans sa chambre, que tout devrait bien se passer. Elle était décidée à risquer sa vie pour s'échapper, c'est Pierrot qui était de garde, il lui a juste ouvert et dit au revoir. Quand, vers minuit, Cannibale 2.0 s'était mis à chercher Patience, Pierrot lui a dit que c'était inutile, qu'il l'avait laissée partir vers vingt-deux heures. Il s'était mis à hurler, avait sorti son arme et mis une balle dans la tête du petit.

Sa voix s'était étranglée et il avait avalé une rasade de bière qui lui avait coulé sur le menton et la chemise.

— Le Chef offre trois mille dollars américains à toute personne qui lui permettra de retrouver Patience. Il est devenu fou. Il s'asperge avec son parfum. Ça fait bizarre, mais nous n'osons pas faire de commentaires. Elle a tout laissé, Patience, les robes, les belles sandales, les parfums, tout. Elle a juste pris son sac à main, probablement pour ses pièces d'identité. Il ne méritait pas ça, le petit. Il a posé une bonne action. Il était gentil et serviable.

Jules César pleurait à chaudes larmes à côté de moi. C'était étrange de voir un assassin qui pleurait. Il était sincère, il regrettait vraiment Pierrot, il avait peut-être trouvé en lui une famille, un ami. Je pensais moi aussi qu'il avait fait une bonne action, c'était dommage que l'on ne pouvait pas en parler publiquement, raconter qu'il restait un peu d'humanité dans ces jeunes gens largués, qui savent que leur vie sera courte immanquablement. Patience avait recouvré sa liberté. Elle devait être loin, dans ses doutes et ses vérités à elle. La Première Dame avait renoncé au pouvoir, au crime pour rester fidèle à son amour.

Il commençait à pleuvoir. De grosses gouttes heurtaient la terre poussiéreuse et ça sentait bon. Jules César avait arrêté de pleurer, il se mouchait dans la manche de sa chemise, et c'était dégoûtant. Il m'a dit qu'il devait s'en aller. Je l'ai regardé partir, marchant résolument dans la boue, sous les gouttes de pluie. J'ai laissé les bouteilles de bière vides sur la galerie, je suis rentrée avec ma bouteille dont je n'avais bu que la moitié.

J'ai pris mon téléphone que j'avais laissé sur le lit, Patience avait rendu sur Facebook un hommage à Pierrot qu'elle qualifiait de « héros », et les internautes étaient en train de la descendre, j'ai « liké » son poste, maintenant on s'acharnait sur moi aussi. J'ai fermé le téléphone.

Je montrais sur les réseaux la vie des femmes dans la Cité. Élise avait été mon premier sujet. Elle avait bien joué le jeu. C'était moins déprimant que de compter les morts, ce que je continuais néanmoins de faire. Je lui avais offert du « trempé », c'est ce qu'elle préférait et elle s'était gentiment assise en face de mon téléphone pour raconter sa vie. J'étais toute surprise de savoir qu'elle aurait voulu avoir un enfant, qu'elle espérait que sa sœur Fany en aurait un jour. Sa vidéo avait eu un vrai succès. Ce fut au tour de Soline. Avec beaucoup de pudeur, elle a raconté comment elle gérait son commerce, ses incertitudes, sa peur de voir la Cité s'enflammer, l'impression qu'elle était enfermée dans ce lieu où les bandits faisaient la loi. Les gens s'étaient mis à l'aborder dans la rue pour lui dire qu'on l'avait reconnue, lui poser des questions supplémentaires. Elle y avait pris goût et souhaité que j'en fasse une deuxième avec elle. Cela m'avait fait rire. La notoriété intéressait tout le monde finalement.

Plus de cent dix mille personnes étaient abonnées à ma page Facebook. J'avais reçu un message privé sur le réseau social d'une dame qui voulait me rencontrer. J'avais d'abord cru à quelqu'un qui voulait que je la fasse parler aussi. Elle m'avait demandé de lui envoyer mon numéro de téléphone. Quand elle m'a appelé, j'ai tout de suite senti qu'elle n'habitait pas dans les ghettos. Elle plaçait bien sa voix, surfait entre l'anglais, le français et le créole pour m'expliquer qu'elle était responsable de marketing et qu'elle souhaitait m'avoir comme influenceuse. C'était la première fois de ma vie que j'entendais ce mot. J'étais allée la rencontrer à son bureau. Un bâtiment propret sur la route de l'aéroport, elle m'avait promis de me rembourser l'argent du transport. Elle m'avait expliqué que ce serait avantageux, vu le nombre d'amis que j'avais sur les différents réseaux, de poster les mêmes informations sur mes comptes Facebook et Instagram. Elle était très chic, cette dame. Elle s'était présentée comme Catherine Paris en me priant de l'appeler par son prénom. « Ce sera mieux pour travailler ensemble », avait-elle ajouté. Elle devait avoir dans les vingt-cinq ans, des cheveux longs et lisses. Elle sentait bon, comme Patience, mais on sentait qu'elle n'avait jamais habité de quartiers précaires, qu'elle avait voyagé. Je me suis sentie minable face à elle avec mes baskets fatiguées, mon jean, mon maillot d'occasion sur lequel était écrit « I love Las Vegas ».

Elle avait allumé son ordinateur et elle me disait l'air satisfait que ma dernière vidéo avait soixante-douze mille vues, en ajoutant un « félicitation » admiratif tout en me faisant un clin d'œil. On avait apporté du café et de l'eau, une dame d'un certain âge attendait pour me servir en m'appelant « madame ». C'était la première moi que l'on m'appelait madame. En général c'était « petite ». Elle m'a demandé si je voulais du sucre. Bien sûr que je voulais du sucre. Catherine n'en prenait pas. J'ai été toute surprise de la voir boire son café amer. Ça devait faire partie de l'élégance.

— Je suis vraiment très heureuse que tu aies accepté de me rencontrer, Célia. Je fais la promotion de divers produits de consommation, je cherche des gens comme toi, très suivis sur les réseaux sociaux pour m'aider. Ton travail va être simple. Je te donne des échantillons de ce que je souhaite que tu montres à notre public cible, les gens de ton milieu – elle avait rougi en disant cela – je t'explique comment faire, et je te verse une somme d'argent tous les mois. On peut gagner beaucoup d'argent comme ça, tu sais.

Il était très bon ce café. J'y avais mis beaucoup de sucre. Les tasses étaient jolies, quoiqu'un peu petites. Catherine s'était levée pour aller chercher un papier dans un classeur, elle avait des talons très hauts. Comment pouvait-on marcher avec des échasses pareilles ? Elle avait repris place derrière son bureau et sortait d'une chemise des photos d'une bouteille en plastique contenant une boisson énergisante, une autre une crème éclaircissante, une autre un déodorant supposé protéger pendant quarante-huit heures, une pommade destinée à faire pousser les cheveux. J'aurais pu m'en empêcher mais c'est sorti tout seul :

— Vous utilisez ce savon vous-même, Catherine ?

Elle avait rougi jusqu'à la racine des cheveux, porté à sa bouche la tasse de café amer en y laissant la marque de ses lèvres rouges. Elle avait secoué la tête à la négative et souri avant de parler.

—Non, je n'en ai pas besoin, mais il y a un gros marché pour ces produits, celui que je propose est meilleur pour la peau. Les femmes... cherchent le meilleur, et c'est ce que mes associés et moi offrons.

Elle était à un cheveu de dire « les femmes de ton milieu », j'avais souri. Catherine Paris avait beaucoup de certitudes, elle savait visiblement comment gagner de l'argent. Il y eut un moment de silence et elle reprit.

— C'est une vraie mine d'or que tu as là, Célia, crois-moi, c'est un travail très rémunérateur, c'est le confort assuré pour toi. « Cécé La Flamme » peut être transformée en entreprise. Il va suffire que tu te prennes en photo en train de boire cette boisson ou de te servir d'un de ces produits. Ne t'en fais pas pour la crème éclaircissante, tu as déjà une peau assez claire, il suffira que tu fasses semblant de t'en servir. Ça devrait marcher.

Elle avait regardé mes vêtements en parlant. Je me disais qu'elle avait peut-être un peu honte de son discours sur la crème éclaircissante. Le contraste entre ce qu'elle portait et ce que je portais pouvait à lui seul expliquer les clivages existant dans le pays.

— Combien je vais être payée ?

—Je vais te donner trente mille gourdes tous les mois, bien sûr tu auras ces produits gratuitement pour ton usage personnel et si tu veux les vendre je te ferai un prix spécial qui te permettra de faire plus de bénéfices.

— Je veux soixante mille gourdes, lui ai-je dit en la regardant bien dans les yeux.

Le principe pour moi était de multiplier l'offre par deux.

— Cinquante.

— Non soixante. Plus les avantages que tu as cités tout à l'heure. Quoique, pour le moment, je ne souhaite rien vendre. Je veux pour commencer à travailler un autre téléphone, le mien ne fait pas de très belles photos.

Nous avons regardé en même temps son Samsung dernier cri posé sur son bureau. Elle semblait réfléchir et s'était mise à regarder les photos posées devant elle, comme si la réponse allait venir d'elles.

—D'accord. Soixante mille gourdes et un téléphone plus performant que le tien. Tu commences dès demain.

— Je veux une avance.

Catherine rit à gorge déployée. J'étais très sereine. Je m'étais reversé du café et y ajoutais plein de sucre.

— Tu es une farouche négociatrice, Célia.

— Merci beaucoup, Catherine.

Un monsieur venait de pénétrer dans le bureau. Il avait la peau aussi claire que celle de Catherine qui s'était mise à lui parler en anglais. Il m'avait tendu une main, que j'ai serrée. Je supposai que Catherine parlait de moi, puisqu'il me regardait en souriant. Il était sorti du bureau sans que je ne sache s'il pouvait s'exprimer en créole ou en français. Mais je m'en foutais.

—Je vais te faire faire un chèque tout de suite. Tu dois signer un petit contrat, pour être sûr que nous nous comprenons. Je vais aussi te faire préparer une boîte avec les différents produits. Ça te va ?

— Oui, sauf que je préférerais du cash. N'oublie pas l'argent du transport.

— Ça devrait être possible, dit-elle en souriant.

J'avais utilisé de mes sous tirés de la vente des photos du décapité pour payer le taxi moto qui m'avait conduite jusqu'ici et qui m'attendait dehors. C'était cher. La route de l'aéroport était assez loin de chez moi. Catherine m'avait laissée seule dans le bureau, je m'étais calée dans la chaise. C'était au final une bonne journée.

Lorsque j'avais enfourché la moto pour rentrer à la maison, la petite boîte entre le conducteur de la moto et moi, je me sentais bien. Je palpais de temps à autre l'enveloppe de trente mille gourdes dans mon corsage, cela me faisait du bien. Je devais revenir la semaine prochaine chercher le nouveau téléphone.

Je passais mon temps à me photographier en train de boire cette boisson plutôt rebutante. En réalité je trichais. Je l'avais mélangé avec de l'eau. Quelqu'un avait commenté une de mes publications sur Twitter pour me faire savoir que l'abus de ce type de breuvage causait de l'hypertension. Peu importait l'âge que l'on avait. Je me montrais en train d'utiliser le déodorant dont l'odeur me plaisait, je me mettais en scène avec la pommade pour les cheveux et la crème pour blanchir la peau. Beaucoup de mes « amis » m'accusaient d'inciter les jeunes femmes à se blanchir la peau. Ils avaient raison. C'était cela mon nouveau travail. Je ne répondais pas.

J'avais acheté une nouvelle chemise et un nouveau pantalon à Tonton chez les marchands de vêtements d'occasion. Il avait trop l'air d'un clochard. Il avait tapé des mains comme un enfant. Il devait se sentir beau dans cette chemise bleu clair à manches longues et ce pantalon gris. C'est vrai que cela lui donnait un autre air. Voir Tonton heureux me faisait du bien.

Soline avait la tête entourée d'un tissu blanc, une vieille chemisette d'homme, sans doute, qui enserrait des feuilles d'amandier qui dépassaient le bandeau et lui donnaient un air bizarre. Elle avait fait « un mauvais sang » m'avait-elle expliqué. Une bonne femme qui vendait les mêmes épices qu'elle était venue s'installer juste à côté de son négoce. Elles avaient failli en venir aux mains. Elle s'était octroyé deux jours de repos afin que le sang puisse descendre. Elle prenait des tisanes aussi. Je lui avais offert de la pommade pour les cheveux, un déodorant. Elle dormait avec les vêtements de son homme parti avec une autre. Je l'avais vue tôt ce matin avec sa compresse, un pantalon à carreaux qu'elle n'arrivait pas à fermer, sa chemise de nuit à fleurs sur le pantalon, une chemise grise sur la chemise de nuit. J'ai pensé qu'il ne reviendrait jamais s'il croisait Soline accoutrée comme ça. Mais il ne reviendrait pas, peu importe comment ma voisine s'habillait. Il devait être déjà assez vieux, ce monsieur.

Quand Soline était chez elle, elle apportait à manger à moi et à Tonton. C'était comme ça dans la Cité. Les voisins échangeaient des assiettes. Ma le faisait avec Yvrose, Fany, le vieux Nestor et Soline bien sûr. J'acceptais volontiers la nourriture de Soline. Moi, je ne faisais jamais à manger. J'étais contente de pouvoir lui offrir ces produits que j'avais eus pour rien.

Je ne voulais pas être distraite par mon nouveau travail et me désintéresser de ce qui se passait autour de moi. Fatal avait été roué de coups avant hier soir, ils l'avaient épargné afin que tout le monde comprenne l'obligation de se taire. Fatal, à part qu'il déployait sa gargane plus que de raison, racontait même ce qu'il n'avait pas vu. On l'avait entendu prononcer plusieurs fois le nom de Pierrot et aussi se moquer du Chef qui avait perdu la femme qu'il aimait. Il avait été déposé devant la porte de Nestor qui l'avait traîné à l'intérieur et avait appliqué des tampons sur son visage enflé. On ne l'avait pas vu pendant une semaine jusqu'à ce que le manque d'eau le force à sortir. Ce n'était quand même pas Nestor qui allait s'acquitter de cette tâche. On ne lui avait pas coupé la langue mais c'était tout comme. Il ne répondait même plus aux bonjours et ne saluait personne. Il évitait de rencontrer les regards moqueurs et cruels, marchait vite dans les corridors, le képi bien enfoncé sur la tête, tiré en avant par les sceaux remplis qu'il portait, chahuté par de jeunes enfants qui lui rappelaient qu'il avait été rossé. Dodo et Lorette n'étaient plus les seuls à subir les quolibets enrobés de frustration des uns et des autres, tout le monde faisait semblant d'oublier que les êtres et les choses de la Cité de la Puissance Divine était à la merci du gang de Cannibale 2.0. Soline poussait des soupirs qui pouvaient être entendus de très loin, et ils en disaient beaucoup sur beaucoup de choses. Elle en avait poussé un, cachée derrière sa compresse, en voyant passer le pauvre bougre qui marchait vite comme pour laisser derrière lui ces coups de pied, de crosse de fusil, pour chasser cette mort qu'il avait vue en face et qui le poursuivait quand même, comme la honte, comme le chagrin qu'il ressentait.

J'avais posté sur ma page Facebook une photo de Soline et la recette de son remède contre les « saisissements », c'était à l'intention d'une République pétrifiée par ses propres faiblesses, par un désamour mutuel de ses ressortissants, renforcé au fil des années, à mesure des capitulations, des errements.

Cannibale 2.0 avait ses comptes officiels Twitter, Facebook, Instagram et que sais-je encore. Il m'avait envoyé une demande d'amitié que j'avais ignorée. Je savais que j'allais être contrainte de l'accepter. Il n'avait pas les mêmes méthodes que Joël, il ne m'avait pas convoquée. Je pouvais reconnaître les commentaires des personnes à sa solde, ils écrivaient sur mon mur que Cannibale 2.0 était le seul à être préoccupé par le sort des pauvres, ils me remerciaient de montrer comment les gens étaient abandonnés à eux-mêmes et m'enjoignaient de parler des actions du Chef, sauf que son fait le plus notoire depuis qu'il était aux affaires avait été l'assassinat de Pierrot et la bastonnade du pauvre Fatal. Il passait son temps à se comparer à Joël et à chercher Patience, il avait posté des photos d'elle en priant de lui signaler sa présence contre récompense, mais les photos qu'il avait ne représentaient plus Patience. Elle n'avait plus ce visage et cette âme-là. Elle était morte avec Joël et avait choisi de laisser la place à une autre femme, peut-être celle qu'elle avait été avant de connaître son amant criminel. Personne ne la reconnaîtrait à partir de ces photographies.

Les mots, les photos, les prières ne pouvaient rien contre la dégradation accélérée de la vie dans la Cité de la Puissance Divine et dans celles des alentours. Réceptacles de la mauvaise vie, emblèmes de tous les échecs urbains, peu importait où l'on se trouvait sur le territoire aujourd'hui, on pouvait sentir la rugosité de la vie, tout le monde était cerné par ce qu'on avait trop longtemps refusé de voir, d'entendre.

Victor s'égosillait contre le diable, et son assemblée répondait par des «Amen» énergiques. Je postais des photos dans lesquelles, moi, Cécé La Flamme, m'enduisais de crème supposée pouvoir éclaircir ma peau, la mère de Pierrot se consolait peut-être en se disant que son fils était au paradis. C'était dommage que le mensonge ne puisse servir la paix.

La nouvelle s'était propagée très vite. La police menait une opération contre Dread Bob et ses soldats à Bethléem. Les détonations parvenaient à la Cité de la Puissance Divine. Les rumeurs se succédaient. Les informations, les photos, les enregistrements qui circulaient sur les fils WhatsApp aussi. L'intonation des voix de ceux qui commentaient laissait clairement comprendre que le héros était Dread Bob. En plein échange de tirs, il s'était exprimé, par téléphone, sur une station de radio, promettait l'enfer aux représentants de l'État, menaçait de mettre le feu partout dans le pays.

La situation rendait nerveux les membres du gang de Cannibale 2.0, qui tiraient aussi, comme dans un échange où chacun avait décidé d'avoir la dernière réplique. Élise poussait une exclamation d'encouragement à chaque rafale qui partait de Puissance Divine, sans doute pour remonter le moral de sa sœur qui avait pris tout Bethléem en grippe et considérait Dread Bob comme l'héritier de Fanfan Le Sauvage. Pour elle, il fallait éliminer tous les criminels de Bethléem pour venger Pipo. Soline, quant à elle, priait. Une prière plus bruyante que d'habitude qui me fit peur. Elle lançait des « Jésus » sonores et semblait en larmes. Je ne savais pas ce que je devrais lui dire pour la consoler et puis je me demandais si c'était prudent de sortir.

Les habitants de la Cité étaient restés terrés une journée et une nuit. Ce devait être pire à Bethléem. Ils oubliaient vite cependant. En attendant la prochaine escalade. Ils commentaient bruyamment les exploits de Dread Bob qui exigeait désormais qu'on l'appelle « Le soldat de Dieu », il estimait avoir échappé à la mort grâce au Très-Haut et avait exigé des réunions de prières quotidiennes aux habitants de Bethléem. Il avait exécuté lui-même deux membres de son gang qu'il suspectait de l'avoir trahi.

Cannibale 2.0 avait ordonné des patrouilles dans la Cité. Des hommes en sueur, avec des lunettes noires et lourdement armés, arpentaient les corridors. Ils prétendaient qu'une descente de la police était imminente. Cela me faisait sourire. Je crois que le chef tatoué musclé était jaloux de Dread Bob qui s'exprimait à la radio. Le chef de la police lui-même s'était fendu d'une déclaration à son propos, le conviant à déposer les armes et se rendre. Des émissions entières lui étaient consacrées dans les médias. Un article concernant ses méfaits avait barré la une du plus ancien quotidien de la République. Cannibale 2.0, comparé à Dread Bob, était un criminel ordinaire, un voleur de grand chemin sans envergure. Il se disait que ses hommes ne lui pardonnaient pas l'assassinat de Pierrot. Je savais personnellement que Jules César lui en voulait. Il ne comprenait pas son obsession pour Patience et tout le temps qu'il investissait à la chercher, sans pouvoir passer à autre chose. Il promettait que les programmes sociaux seraient mis en branle dès que « la madame » serait revenue, mais tout le monde savait qu'elle ne reviendrait pas. Il envoyait le chauve nerveux et le grand maigre distribuer du riz, de la tôle, du bois, de l'essence et divers autres produits qu'ils volaient en pillant les camions qui passaient, sans se soucier qu'ils en aient besoin ou pas. Ces marchandises étaient revendues sur les trottoirs.

Cannibale 2.0 avait perdu ses muscles. Ses vêtements étaient devenus trop grands, ses tatouages au cou et sur les bras lui donnaient un air de pauvre garçon. N'étaient ses deux escortes armées, l'arme de calibre 9 millimètres qu'il portait à la taille et le Uzi dans sa main droite, qui forçait à le prendre au sérieux, on ne le remarquerait même pas.

L'insignifiant brassait quand même beaucoup d'argent. La drogue circulait et attirait les camés des autres cités et des petits dealers qui venaient s'approvisionner. Cannibale 2.0 donnait de l'argent à ses hommes. Moins de pressions étaient exercées sur les commerçants. Les habitants du village ne payaient leur tranquillité désormais qu'une fois par semaine.

Les patrouilles se faisaient sans conviction. J'avais enlevé les morceaux de plastique avec lesquels Grand Ma avait bouché les claustras afin d'empêcher aux *movezè*, mauvais airs, d'entrer dans la maison. Cela faisait des années qu'ils étaient là. Ils étaient devenus friables, d'un marron clair, opaques. Ils avaient eu le mérite d'empêcher la poussière de pénétrer dans la maison. J'avais désormais un poste d'observation privilégié. Je voyais ceux qui passaient devant la maison sans qu'ils me voient eux. Je captais des détails curieusement que je ne voyais pas de près, Élise perdait ses cheveux, le milieu de son crane était dégarni, j'avais toujours pensé que cela n'arrivait qu'aux hommes. Sa sœur Fany ne sortait de la maison, depuis l'incident avec Andrise, que deux fois par jour. C'était fini les petits moments en compagnie des plantes pendant la journée. On la voyait en début de matinée se presser pour aller aux latrines, petite cabane cubique puante, qui provoquaient quelquefois des scènes de chamaillerie dans la Cité parce que souvent il fallait les partager. Elle y restait presque une demi-heure. Et puis, quand le soleil commençait à se coucher pour arroser ses plantes. Ma disait que l'arrosage des plantes devait être fait avant le lever ou après le coucher du soleil. Elle devait penser la même chose, quoique, ma grand-mère, elle, n'avait jamais eu de plante, sinon un cactus, un aloès, qui ne nécessitait pas tant que cela un arrosage. Je ne savais pas ce qu'il était devenu depuis sa mort, la marmite qui la contenait avait disparu.

Jules César regardait longuement la maison quand il passait devant. Il devait avoir l'impression d'être observé. Il portait des bottes qu'il enfonçait dans les rigoles boueuses sur lesquelles flottaient des flaques d'huile usée de moteur, censées empêcher la reproduction des moustiques.

Est-ce qu'ils étaient seulement vivants ces soldats accablés par la chaleur, qui n'avaient de gagné que l'heure qui venait de s'écouler ? Elle ne viendra pas la police. Ils le savaient. Les policiers qui habitent la Cité le sauraient. Il n'y avait rien à signaler. Une radio proche jouait un air à la mode. Tout était dramatiquement délabré.

Cela me faisait plaisir de revoir Carlos. Arrivé sans prévenir, il avait frappé à la porte à dix-huit heures trente. Fidèle à ses habitudes. Même dans la façon de s'habiller. Cela ne faisait qu'un mois depuis qu'il avait déménagé, j'avais l'impression que cela remontait à plus longtemps. Il affichait un sourire que j'interprétai comme une demande à oublier que nous nous étions quittés sur quelques désaccords. Je n'avais toujours rien à lui dire. Il voulait savoir comment j'allais. Très bien. Il avait remarqué mes vêtements neufs, mes nouvelles chaussures, les cartons au milieu de la pièce dans lesquels se trouvaient les produits dont je faisais la promotion. Il se dégageait d'eux une bonne odeur, sans doute le déodorant et la crème. Il n'osait pas me demander d'explications. Je ne lui en aurais pas donné. On évitait les sujets qui fâchent, ce qui nous laissait une toute petite marge. Je n'avais plus besoin de ses mille gourdes. Et puis il ne fallait pas qu'il y ait de confusion. L'obscurité était tombée d'un coup. On entendait plus le ronronnement des moustiques que nos voix. Il n'y avait pas d'électricité. J'ai allumé la lampe à pétrole. Il me demanda des nouvelles de Tonton Frédo. J'ai failli éclater de rire. Je savais que c'était pour meubler le silence. Je répondis quand même qu'il allait bien et lui demandai comment marchaient les affaires à Tabarre.

— Moins fort que dans la Cité, me répondit-il dans un rire. Il y a plusieurs dépôts du même genre et plus grand que le mien autour de chez moi. Il va falloir que je diversifie mes activités. Je réfléchis.

J'étais à deux doigts de lui proposer de vendre les produits de Catherine Paris. L'idée me fit rire. Il me regarda inquiet. Je lui mentis en lui disant que je pensais qu'il allait trouver très vite la solution.

— La Cité de la Puissance Divine me manque, me dit-il. Je comprends que ma mère n'ait pas voulu s'en aller. Et puis je suis très seul là-bas. J'ai engagé un garçon pour m'aider. Aucun chef de gang n'est venu m'exiger de payer, du moins pas encore.

Il réfléchissait, la lampe éclairait sa nuque et une partie de son visage. Il avait un peu maigri. Ce devait être l'effort du déménagement, le fait de ne plus être nourri par sa mère aussi peut-être.

— Je pense que j'aimerais partir. Tenter de construire ma vie dans un pays plus sûr, plus réglé. C'est quand même le degré zéro de la dignité ici. C'est compliqué d'obtenir une pièce d'identité, d'avoir de quoi manger, la sécurité, l'électricité, dit-il en tendant la main vers le plafond, comme s'il fallait une preuve que l'ampoule ne s'allumait pas.

Il voulait ajouter quelque chose, mais sa voix s'était enrouée. J'avais regardé mes chaussures pour ne pas voir d'éventuelles larmes. J'étais assise sur le lit, mes pieds ne touchaient pas terre. Il était haut ce pieu. Grand Ma avait mis de vieux vêtements sous le matelas pour le soulever encore.

— J'aime mon pays. Il y a sans doute des choses qui pourraient être faites. Mais je suis fatigué. Très fatigué, dit-il en s'étirant, faisant grincer la chaise.

— Tu as faim ?

— Oui, répondis-je.

Nous nous étions levés tous les deux. Notre relation venait de franchir une autre étape. Nous étions sereins. Nous n'attendions rien l'un de l'autre.

Il y en a qui ne partiront jamais. Ils n'y ont même jamais pensé. Non que la vie fût belle par ici. Non qu'ils n'eussent pas conscience que la mort les talonnait. Mais ils n'avaient pas les moyens d'un autre lieu, d'une autre portion de ciel qui serait différente de celle-là. Bethléem, Source Bénie n'avaient pas de malheurs différents ou de bonheurs possibles. Il y en avait aussi qui ne pouvaient installer leur domination que dans l'un de ces lieux abandonnés, où les âmes erraient douloureusement, désespérément, demandant à être prises, gardées. Pour créer l'illusion d'exister.

J'écoutais passer les fous. Pour comprendre. Pour essayer. Lorette racontait qu'elle était une « grande dame ». Une femme riche. Je la connais depuis toujours, mais elle ne connaît personne. C'est le propre des « grandes dames », c'était aux autres de se souvenir d'elles, jamais l'inverse. Grand Ma lui donnait à manger les jours où elle gardait ses vêtements. Plusieurs couches qui n'arrivaient pas à cacher sa maigreur, qu'elle enlevait d'un coup en faisant des gestes obscènes qui provoquaient le rire des gamins et mettaient les adultes en colère. Ma me recommandait de ne pas regarder. Mais je lui avais souvent désobéi à ma grand-mère. Je savais qu'elle n'était pas loin quand je percevais sa forte odeur d'urine qui était le premier prétexte de ceux qui lui lançaient des pierres pour l'éloigner. Lorette avait souvent des blessures. À la tête surtout. J'étais étonnée qu'elle soit vivante encore. Elle était un peu le symbole de cette cité. De ce pays. Elle résistait aux mauvais coups. Aux oublis. Ses cheveux sales et emmêlés, ses chaussures éculées, tordues, disaient des routes, des vies qui étaient de loin plus émouvantes que les histoires que Livio imaginait sur elle pour faire rire dans les veillées. Lorette, c'était peut-être Mimose, Lana, Soline, Grand Ma, qui avait eu moins de chance encore, qui avait craqué sous diverses pressions. Elle avait débarqué un jour à la Cité de la Puissance Divine et n'en était jamais repartie. Sans abri, pauvre, elle ramassait tout ce qu'elle trouvait et vivait sous des morceaux de plastique, entourée d'objets qu'elle récupérait, qui allaient des bouteilles vides à des ossements humains. Un matin on la retrouvera dans un corridor, morte avec son passé, ses tragédies silencieuses ou non traduites.

J'écoutais la Cité. Couchée dans la chaleur. Tonton Frédo dormait. La porte de sa chambrette était ouverte. Tous les stratagèmes étaient bienvenus pour laisser l'air circuler. Mais il n'en faisait qu'à sa tête, l'air. Je m'éventais et éloignais les mouches avec un vieux journal qui me noircissait le bout des doigts, le grand titre parlait d'un énième renouvellement de la mission des Nations unies. Du Conseil de sécurité, de choses qui au fond ne nous regardaient pas.

Le vieux Nestor semblait être sous mon lit tant le toc-toc de son marteau était proche, la radio de Fatal diffusait à plein volume un talk-show dans lequel les animateurs rivalisaient de violence et de bêtises, une autre radio du voisinage était branchée sur le même programme, cela faisait un drôle d'écho. Fatal et l'autre auditeur devaient être en compétition. Une question de volume ou de marque de récepteur. C'était courant dans la Cité.

Le bruit devait contribuer à faire monter le thermomètre et à énerver les mouches. Il ne m'était plus possible de dormir. Tonton Frédo ronflait doucement. L'horloge du téléphone marquait dix heures trente-sept. J'avais trois appels manqués de Catherine Paris. Je n'avais rien posté depuis quatre jours. J'étais fatiguée des mêmes photos, des mêmes produits, d'écrire les mêmes conneries. Elle m'avait suggéré, lors de notre dernière conversation, de maintenant montrer mes épaules, mes pieds nus. « Et quoi encore ! » avais-je répondu. Elle avait deviné qu'il ne fallait pas me chercher. J'ai bien lu le contrat d'une page et demie qu'elle m'avait fait signer, à aucun moment il n'était question de nudité. Elle avait vite fait de m'apaiser, et notre silence réciproque témoignait d'une gêne. J'allais mettre mes écouteurs pour lui retourner ses appels dès que j'aurais mangé, mon estomac était vide. J'avais deux cent soixante-treize mille abonnés, mais elle avait soixante mille gourdes sur lesquelles je ne pouvais pas cracher. Je voulais bien montrer mes pieds avec à côté la crème éclaircissante en signe de bonne foi, mais j'avais sur les ongles un reste de vernis bleu foncé dont je ne me rappelais même plus quand je l'avais appliqué. Il fallait que j'aille me trouver du dissolvant.

J'ai soulevé le matelas pour prendre les sous pour la bouffe et le dissolvant. J'avais ouvert un compte en banque, mais je n'avais pas encore trouvé la volonté d'aller déposer une partie des soixante mille gourdes reçues pour mon troisième mois de travail.

Mes pieds transpiraient dans les baskets. J'aurais dû me laver, je ne sentirais pas ces picotements dans le corps. C'était peut-être dans ma tête. J'avais appris que les femmes qui se blanchissaient la peau avec des savons comme celui dont je faisais la promotion avaient des picotements quand elles sortaient sous le soleil. Je ne l'avais jamais utilisé pourtant.

Les marchandes étaient regroupées selon le type de marchandises qu'elles offraient. Celles qui vendaient des cosmétiques avaient des cuvettes de toutes les couleurs dans lesquelles il y avait du dissolvant, des vernis à ongles, des crèmes et des savons qui promettaient une peau plus propre, il fallait entendre par là plus claire. Elles-mêmes se décoloraient la peau, on le remarquait aux taches noires qu'elles avaient sur le visage, à leurs phalanges trop foncées. La marque dont je faisais la promotion sur les réseaux sociaux était dans toutes les cuvettes, mais la concurrence était rude, il y avait jusqu'à six marques de produits blanchissants. Malgré moi, j'éprouvai un sentiment de fierté en voyant les produits de Catherine dans presque toutes les cuvettes, c'était la preuve qu'ils étaient demandés. Le savon coûtait cinquante gourdes. La boîte en carton glacé était blanche avec écrit dessus, en lettres dorées et en relief, « Baby White ». J'avais acheté le dissolvant et un vernis rose d'une vendeuse qui devait avoir le même âge que moi. Elle en avait profité pour me proposer de respirer un parfum bon marché qu'elle avait sorti de son emballage en enlevant délicatement la cellophane qui protégeait le carton d'emballage, elle devait faire ça plusieurs fois par jour, c'est avec la même dextérité qu'elle remballa la bouteille en voyant la grimace que je fis après en avoir humé le contenu.

J'avais acheté une petite marmite de lait concentré, du pain, de la bouillie de maïs et du sucre. Tonton était assis sur son lit le torse nu quand je suis rentrée. On ne s'était rien dit, comme d'habitude. Nous étions des étrangers très proches. J'avais besoin de le savoir vivant pour moi-même me lever le matin. Je ne savais pas trop ce qu'il pensait de moi, mais je sentais un lien entre nous, il y avait Grand Ma, cette maison et une histoire que ni lui ni moi ne pouvions raconter. À défaut, nous continuions de l'écrire à grands coups de silence, de sourire, et cela nous allait très bien.

Nous avons mangé sans dire un mot, trempant les morceaux de pain et les doigts dans la bouillie très sucrée, comme nous l'aimions, comme Grand Ma nous avait appris à le faire. Élise était en train d'expliquer à Livio qu'il était une canaille, qu'il n'avait pas livré les cinq seaux d'eau pour lesquels il avait été payé, chacun y ajoutait de son bruit : Victor et ses nombreux fidèles, Nestor, Fatal, les marchands ambulants, tous les autres et même Catherine qui faisait vibrer mon téléphone. Frédo n'avait pas de portable, presque pas de voix, il ne marchait même pas vite, il contribuait à l'équilibre. Au mien tout au moins.

Le vernis rose débordait sur les côtés des ongles des pouces des pieds. Le résultat n'était pas extraordinaire. Avec une photo prise latéralement, les jambes croisées, cela ne se voyait pas. Il avait fallu une dizaine d'essais. Ma grand-mère aurait été étonnée de voir des photos de cette netteté prise avec un portable. Le téléphone vibrait. C'était Catherine. J'avais l'impression qu'elle avait constamment les yeux rivés sur son portable ou son ordinateur. Je venais à peine de poster la photo qu'elle avait suggérée.

— Salut Célia ! Je viens de voir la photo, très jolie, très bien faite. On voit bien la marque sur le tube de crème.

Il n'y avait que Catherine qui m'appelait Célia. Très peu de gens savaient que je me prénommais comme cela ; Natacha était l'une des rares, mais ce ne devait pas être le genre de choses auxquelles elle pensait. Elle était de nouveau enceinte, probablement d'un des membres du gang 2.0, elle était boursouflée et sa peau abîmée prenait plusieurs teintes.

— Nos ventes ont beaucoup augmenté. J'adore expérimenter de nouvelles stratégies marketing... J'aimerais, Célia, que tu continues à parler des choses qui se passent dans la Cité, c'est comme ça que tes « amis », « abonnés » et *followers* augmentent. Tu sais, des photos comme celles du corps sans tête, des vidéos dans lesquelles les femmes parlent de leur vie...

J'étais écœurée. Je détestais sa voix criarde, sa certitude, ses anglicismes que je ne comprenais pas, sa manière d'être concentrée sur elle-même et de n'être préoccupée que par le besoin de faire progresser son chiffre d'affaires. Je lui ai dit que j'avais du mal à l'entendre, que je devais raccrocher. C'était tout à fait plausible, les communications téléphoniques étaient généralement exécrables.

J'avais un peu trop de ces produits dans la chambre. J'allais tout donner à Soline, elle en ferait ce qu'elle voudrait. J'avais du mal à l'imaginer en train de se décolorer la peau, mais ce sera comme elle voudra.

Je n'avais pas eu besoin de frapper, elle était sur la petite galerie devant sa maison en train de cuisiner. Elle était assise en face d'un petit réchaud à charbon et essayait avec un morceau de carton de raviver les braises en se plaignant que le charbon n'était pas bon, sûrement fait avec du bois mouillé. Un couvercle était posé sur la chaudière, je ne pouvais pas en voir le contenu, comme il n'y avait aucune odeur particulière, ce devait être des bananes vertes ou quelque tubercule. J'avais déposé la boîte en carton d'où débordaient des crèmes, déodorants, savons et pommades pour les cheveux. Soline m'avait regardée avec méfiance. Cette femme était l'honnêteté même. J'étais sur le point d'éclater de rire. Je ne regrettais pas d'être venue. Elle ne me traitait plus comme une petite fille. Cela faisait deux ans que Ma était morte, et je me débrouillais seule. Elle appréciait cela. Elle ne me demandait pas comment je faisais, mais croyais que ma grand-mère avait assez prié et m'avait inculqué le sens de l'effort pour que je me débrouille.

— Voisine Soline, je fais la promotion de ces produits sur Internet – elle ouvrait de grands yeux pendant que je parlais – j'en ai beaucoup et j'ai pensé t'en offrir une partie. Tu peux ou les vendre, ou les donner.

Elle touchait les produits dans la boîte et plissait les yeux pour essayer de lire les informations imprimées sur le tube de crème destinée à éclaircir la peau. Elle avait renoncé, préférant les humer. Elle aurait besoin de lunettes.

— Mais tout ça coûte très cher, très, très cher…

Cinquante gourdes signifiaient beaucoup d'argent pour Soline qui, certains jours, ne gagnait que dix gourdes en vendant son ail.

—Je les ai eus pour rien. Enfin, pour faire une sorte de travail. Je fais semblant de les utiliser sur les réseaux sociaux et on me paie.

— Tu fais semblant de travailler ?

— Non, enfin, pas exactement. Je poste des photos de moi avec les produits, pour les montrer à plein de gens qui les voient et les achètent.

Elle me regardait incrédule. J'aurais du mal à expliquer tout cela à Soline. Je finis par lui expliquer que les lui donner était une forme de publicité. Elle eut l'air soulagée et me dit en prenant un air malicieux qu'elle les vendrait dès demain. Elle voulait que je reste pour manger un morceau de patate douce, j'avais dit oui et pris place sur la chaise basse à côté de la sienne.

Elle m'avait servi une patate savoureuse dans une assiette ébréchée qu'elle avait été chercher dans la maison. Je me servis de la fourchette qu'elle m'avait passée pour en faire plusieurs bouts en exerçant dessus une pression légère avec la pointe. Une fumée blanche se dégageait des différents morceaux. Il n'y avait ni viande ni sauce, mais c'était bon.

Soline mangeait avec les mains. Elle était très touchante dans le jour qui tombait. N'importe quel silence entre deux êtres ouatait le bruit de la Cité de la Puissance Divine, du moins c'est ainsi que je vivais ces moments rares avec Tonton et maintenant avec Soline.

— Ma petite sœur Mislène adorait les patates douces, tout comme toi. Cela fait maintenant vingt-cinq ans qu'elle est morte. Elle était passagère du bateau *Neptune* qui a fait naufrage en 1993. Il assurait la liaison Jérémie – Port-au-Prince.

Elle observa une pause, mâcha longuement le morceau de patate. Il fallait aller doucement avec la patate, sinon on risquait d'avoir le hoquet. Moi c'était imparable, j'émettais déjà un premier petit son aigu qu'accompagnaient des tremblements d'épaules. Soline rentra dans l'unique pièce de la maison et ressortit avec de l'eau dans un gobelet en plastique vert. Elle me conseilla d'en boire sept gorgées d'affilée. C'était le meilleur remède contre le hoquet, précisa-t-elle.

— Ma sœur avait souvent le hoquet aussi. Ni plus ni moins que sept gorgées d'eau. Elle était très heureuse de pouvoir venir vivre à Port-au-Prince, c'était la première fois qu'elle quittait sa province natale. Elle devait venir me rejoindre. Elle avait pris des sacs de noix de coco pour débuter un commerce. Il paraît que les bœufs qui faisaient le voyage aussi et les sacs de noix de coco ont servi de bouée à certains passagers qui ont pu gagner les rives de la ville de Miragoâne. Plus de deux mille personnes ont péri dans ce naufrage. C'était pendant une période difficile, on va dire plus difficile que les autres. Le pays était sous embargo à la suite du coup d'État contre le président Aristide. Un mercredi des Cendres. Après un carnaval bien étrange où les danses, le bruit, n'ont pas suffi à masquer le désespoir des gens. J'avais le cœur serré. C'est fou comme, des fois, nous pouvons sentir arriver le malheur.

La nuit nous avait couvertes entièrement pendant que Soline parlait. Nous tenions chacune une assiette vide. Une ampoule s'était allumée dans la boutique d'Yvrose. Faiblarde. C'était comme cela dans la Cité. Les maisons étaient raccordées au courant de la ville grâce à des prises clandestines. Ces filaments jaunes, fatigués, donnaient des nouvelles justes de la veuve: elle était fatiguée et tenait difficilement le coup sans Fénelon. Elle était l'une des rares à parler de lui comme d'un bon chrétien, les funérailles passées. Le petit négoce était dégarni, et on voyait bien qu'il n'allait pas tarder à fermer. Elle était fatiguée, Yvrose, et n'allait se coucher le soir que pour revenir le lendemain avec plus de cheveux blancs.

La nuit était tout à coup contrariée. J'avais tendu la main pour attraper mon portable et regarder l'heure. J'avais mis trop de force dans le geste, l'appareil était tombé de la chaise en faisant un bruit mat. Je m'étais assise sur le lit. Une longue dénotation à l'arme automatique m'avait persuadée de me recoucher. Je devais attendre que mes yeux s'accommodent à l'obscurité pour trouver le téléphone. Le lit de Tonton Frédo avait grincé. Je ne me trompais pas. Ce qui se passait dehors était énorme, autant que le soir de la mort de ma grand-mère. Qui allait donc mourir ce soir dans la Cité? Les tirs avaient réussi à réveiller mon oncle, il émettait des grognements interrogateurs qui me faisaient sourire. Il devait être habitué.

Je distinguais maintenant le téléphone sous la chaise. J'en avais besoin pour regarder l'heure. Il était onze heures trente-cinq. Je n'avais pas dormi longtemps. Il faisait chaud, j'avais transpiré, et le col de mon maillot était humide. C'était désagréable. Je m'étais endormie tout habillée comme cela m'arrivait souvent. La dernière chose dont je me souvenais était que je regardais le « Statut WhatsApp » de personnes que j'avais dans mes contacts. C'était un divertissement comme un autre.

La journée et l'après-midi avaient été calmes, que s'était-il donc passé? Les tirs se mélangeaient maintenant à des éclats de voix. Des gens qui riaient circulaient bruyamment dans les corridors. J'essayais de reconnaître des voix, sans y arriver. On aurait dit une grande fête. Ceux qui étaient dehors étaient contents, ils buvaient et cassaient les bouteilles vides contre les murs. C'étaient des rires gras, satisfaits. N'étaient ces rafales constantes, on aurait presque envie de sortir prendre part à la sauterie.

Les tirs se sont espacés à mesure que la nuit avançait. Je m'étais rendormie vers cinq heures du matin avec la voix d'une personne alcoolisée qui insultait longuement quelqu'un dont la mère était une pute, le père un chien et lui-même une roulure homosexuelle.

Des élus de la République, pour faire oublier qu'ils ne faisaient rien du mandat qu'ils avaient, s'étaient donné pour mission de légiférer contre les homosexuels, et les violences physiques et verbales contre cette minorité avaient tendance à augmenter. Peu importaient que des femmes soient battues, des enfants maltraités, non scolarisés, les lois désuètes ou inadaptées, l'université publique en ruine, les prisons surpeuplées, la justice dépassée, l'important c'était de n'être pas homosexuel, de prétendre ne pas l'être, d'encourager à dénoncer ceux qui sont suspectés de l'être.

Frédo avait ri. Lui qui ne riait pas souvent. Toute cette énergie gaspillée, tout cet aveuglement, tous ces reniements pour que dalle!

Cannibale 2.0 avait été tué. Tous les membres du gang le souhaitaient. Il fallait se méfier quand on disait « tous » ici ; « tous » c'étaient les plus grandes gueules, ceux qui intimidaient, cassaient les os des innocents, brûlaient ceux qui ne partageaient pas leurs opinions.

Cannibale 2.0 était un type immonde qui avait mangé face à la caméra un morceau de chair humaine. Il avait bluffé ses camarades criminels et s'était fabriqué une légende qui devait s'effriter très vite. On voyait rarement des bandits amoureux qui ne pouvaient avoir la femme désirée dans ces milieux, surtout quand il était le Chef. Il n'avait pas pu convaincre Patience, et son départ l'avait dévasté au point de ne pouvoir fonctionner comme un vrai criminel. À part détourner des camions de marchandises, ce que tout petit bandit pouvait faire, les forces de l'ordre étaient sans moyens, le gang de la Cité de la Puissance Divine n'avait rien fait, il n'avait aucune influence politique. Ces derniers mois, aucun politique important n'était venu solliciter son appui. Rien.

Cannibale 2.0 passait son temps à se faire soutirer de l'argent par des petits malins qui prétendaient savoir où se trouvait Patience. Trois fois il avait entraîné ses hommes dans des quartiers de Delmas, de la Plaine du Cul-de-Sac, de Croix-des-Bouquets, ils étaient entrés dans la maison indiquée par l'informateur, avaient terrorisé et battu les gens qu'ils y avaient trouvés, qui n'avaient jamais entendu parler d'une femme appelée Patience. Les gens chuchotaient dans la Cité, riaient sous cape. Livio n'en parlait pas dans les veillées de peur de subir le même sort que Fatal. Dodo l'alcoolique partait dans de grands éclats de rire quand il passait devant la base du gang, et quand Élise était bien éméchée, elle passait de longues minutes à répéter: «L'amour, l'amour, l'amour.» C'était plus que ne pouvaient supporter ses hommes. C'était une politique, une manière de vivre, une économie qui étaient menacées.

Justin, c'était le nom de baptême de Cannibale 2.0, avait été tué alors qu'il était aux toilettes. Il était vigilant. Aucune personne armée ne pouvait s'approcher de lui. Il savait comment il finirait. Comme Joël, comme Freddy et tant d'autres avant eux. Il se protégeait, il imaginait tous les scénarios qui pouvaient conduire à sa perte, il n'avait confiance en personne. Il partageait bien les différents butins avec ses camarades, mais ils avaient besoin de plus que cela. Même la police semblait les avoir oubliés. Ils avaient tous pu écouter Dread Bob à la radio alors que leur chef se morfondait.

On racontait que Jules César avait déchargé son arme à travers la porte des toilettes. Il était de mèche avec le dreadlocks qui était l'un des rares à pouvoir approcher Cannibale 2.0. Quand les autres avaient compris ce qui se passait, ils étaient arrivés avec leurs gros rires, leur sueur, leur cruauté, leur ras-le-bol et avaient déchargé à tour de rôle leurs armes sur la porte des chiottes.

La photo du roi arraché violemment de son trône avait circulé. Le corps troué, la tête démolie. Les photos de cadavres étaient toujours repoussantes. Quand il s'agissait de mort violente, d'assassinat, elles forçaient à la réflexion sur la nature des êtres humains, sur le rôle de l'État et de la justice. J'en avais vu des cadavres dans ma vie! Celui de ma grand-mère à côté de moi dans le lit, des corps dévorés par les chiens, des cadavres de jeunes personnes en si bon état que j'avais des doutes sincères quant à leur statut de mort, des cadavres décapités, brûlés, des nouveau-nés que leurs mères avaient jetés dans des bennes à ordures, dans des lits de ravines parce qu'elles ne pouvaient pas s'en occuper, parce qu'elles avaient peur de la réaction des parents, des membres de leur église, et dont des animaux s'étaient repus, le cadavre de mon ami Pierrot, mais l'homme transformé en passoire, le pantalon baissé, le cul plein de merde, les morceaux du bol des toilettes explosé sous les balles autour de lui et sur son corps, je n'avais jamais vu ça. Une telle humiliation dans la défaite me touchait beaucoup.

La photo avait été partagée par WhatsApp et commentée des milliers de fois. Je m'étais abstenue. Je devais trouver quelque chose de plus original. Le nouvel homme fort de la Cité de la Puissance Divine. Le général lui-même. Jules César. J'avais son numéro de téléphone. J'ai osé. Il a répondu.

— *Cécé, sa k pase*, comment ça va ?

— Très bien, et… toi ?

Jules César avait la voix changée, celle du Chef qui voulait qu'on le sache. Il avait accepté que je vienne auprès de lui, il ne me tenait apparemment pas rigueur après que je l'ai laissé en plan chez Morel la dernière fois. Il avait annoncé mon arrivée. Un jeune homme que je n'avais jamais vu, un peu enrobé, a tout de suite ouvert pour me laisser pénétrer dans la base. Jules César était affalé dans la chaise à bascule où s'était installée Patience la fois où j'avais été convoquée par Joël. Il portait des lunettes Ray-Ban effet miroir. Quand on devenait chef, les biens vous tombaient entre les mains comme par miracle, il n'était chef que depuis hier et il arborait déjà des signes extérieurs qui renseignaient sur son grade. Je doutais qu'il ait hérité de Cannibale 2.0.

Un verre de cola avec des glaçons était posé sur la table basse. C'était la première fois que je voyais Jules boire autre chose que de la bière. J'avais tout à coup soif. Le Chef a claqué des doigts et une minute plus tard, j'avais moi aussi un verre de cola servi par une jeune femme que je n'avais jamais aperçue dans la Cité.

— Alors Cécé, qu'est-ce que je peux faire pour toi ?

— Euh... Je voulais te féliciter personnellement et aussi prendre une photo de toi pour les réseaux. Le grand public ne connaît pas encore le nouveau Chef de la Cité de la Puissance Divine.

Il avait enlevé ses lunettes et s'était redressé sur la chaise. Personne, j'imagine, n'osait désormais l'appeler Cassave. Sa chemise était au trois quarts ouverte et je voyais sa poitrine glabre. Il faisait une moue boudeuse. Il finit par dire :

— Pourquoi pas ?

Il avait rechaussé ses lunettes, s'était recalé dans la chaise pendant que je le mitraillais avec mon portable.

—Ça suffit maintenant, Cécé. Tu en as fait suffisamment.

Je regardais les clichés, plutôt satisfaite, et en choisis un que je publiai tout de suite sur Instagram. Les réactions n'allaient pas tarder à pleuvoir. J'évaluerai les dégâts après, en attendant j'entamai mon verre de cola. Je me préparais à écouter Jules César, il devait depuis hier parler encore plus que d'habitude. Et ça n'avait pas tardé.

— Je vais changer cette cité, Cécé. Personne ici n'était satisfait de Cannibale. Comme tu sais, je ne lui ai jamais pardonné l'exécution de Pierrot. Je voudrais que ma maman soit là pour me voir. Guerda serait fière de son fils, je te dis ! Je vais m'occuper des enfants, des femmes. Je vais forcer les politiques à s'occuper de nous. Il faut que l'argent public soit dépensé pour le peuple. Les sénateurs, les députés vont devoir venir négocier.

Il hésita un instant, enleva ses lunettes, ses yeux brillaient, et il ajouta :

— Même le Président de la République devra venir ici s'il veut terminer son mandat.

J'avais failli avaler de travers. Un glaçon était entré dans ma bouche sans que je ne le souhaite, mais comme disait Grand Ma, les choses n'arrivent pas pour rien. J'étais dispensée de faire un commentaire, j'écrasai bruyamment le glaçon en souriant. Le dreadlocks, traître de son état, avait levé son pouce droit en signe d'approbation. J'aurais pu demander à Jules César comment il comptait s'y prendre ; j'aurais pu lui dire que Freddy, Joël, Cannibale avaient dit à peu près les mêmes choses, qu'assumer son statut de malfrat qui sera bientôt tué par un de ses hommes vaudrait mieux pour lui, qu'il devait profiter de chaque seconde de sa vie dont les jours étaient comptés, mais il valait mieux que nous demeurions en bons termes.

Le nouveau Chef avait trois téléphones portables que gérait le dreadlocks. Ils n'arrêtaient pas de sonner, il répondait en disant que le Chef était occupé, de rappeler plus tard. Il était finalement venu le déranger, ce devait être quelqu'un d'important, il lui avait parlé à l'oreille, avait pris le téléphone des mains du rasta et, avant de le porter à son oreille, m'avait dit :

— *Cécé, n a wè yon lòt lè.* Cécé, on se verra une autre fois.

Voilà trois jours qu'il pleuvait. Les corridors étaient inondés, les femmes de mauvaise humeur. Elles nettoyaient comme elles pouvaient ces galeries, ces chambrettes, ces vêtements, ces ustensiles qui ne seront jamais propres parce que la propreté est difficile à atteindre. Sitôt fait, tout est défait. L'argument du mauvais sort servait bien. Tout était jeté, quelque main négligente avait lâché dans l'espace des centaines de masures, des fatras qui tenaient debout parmi d'autres fatras. On butait sur des bouteilles en plastique qui n'avaient pas trouvé leur route vers la mer proche déjà repue de déchets. Il pleuvait, et nous étions embourbés dans nos vies. Il y avait de la boue sur nos pieds, nos vêtements, nos mains. Peut-être sur nos âmes aussi.

Les femmes frappaient leurs enfants, leurs maris les frappaient, les petits se cognaient dessus, les voisins s'en mettaient plein la gueule au moindre prétexte ; des cris sortaient de partout et s'amoncelaient au-dessus de nos têtes de gros nuages annonciateurs de catastrophes diverses, de petites fins du monde, de ruptures.

Soline était habitée. Son corps ne lui obéissait pas vraiment. Elle psalmodiait des chants religieux en se balançant de gauche à droite, un petit sourire béat sur les lèvres. La taille de son ventre indiquait qu'elle souffrait d'une quelconque affection, on l'aurait dit enceinte. Elle n'allait plus vendre son ail au bord de la route, elle n'avait plus l'énergie et les moyens pour concurrencer les jeunes femmes qui faisaient le même commerce qu'elle. Elle ne m'avait rien dit, mais je suspectais qu'elle avait été copieusement insultée et même bousculée par l'une d'entre elles.

Elle était maintenant presque tout le temps assise sur sa petite galerie avec son plateau en feuilles de latanier, crevé, dans lequel étaient éparpillées des gousses d'ail invendables, parce qu'à demi pourries, et dans un bac en plastique les produits que je lui donnais. Heureusement on les achetait ceux-là. Elle venait à chaque fois m'apporter l'argent des ventes en me disant que je pouvais lui donner ce que je voulais, je lui demandais de tout garder et lui en donnais de nouveau. Elle levait les deux bras au ciel et entonnait un chant à la gloire de son Dieu à qui elle demandait de me protéger. Toutes les conversations avec Soline dérivaient maintenant sur Dieu, la religion, je n'obtenais même pas qu'elle me parle de la Grand'Anse, de sa sœur, de son enfance heureuse près d'une rivière, au milieu d'arbres et d'heureuses bandes d'enfants dont elle ne savait ce qu'ils étaient devenus. Tout avait trop et trop mal changé, et on laissait nos mémoires, nos voix, au détour des malheurs.

Tonton Frédo n'évoquait jamais ses souvenirs, il ne parlait pas. Ses seules expressions étaient des grognements, des sourires pleins d'affection qu'il m'adressait. L'alcool noyait tout, brûlait tout. Je lui avais une fois demandé de me parler des États-Unis, ce pays dans lequel il avait longtemps vécu, il s'était assis sur le petit lit, il avait pris sa tête dans ses mains et n'avait rien dit jusqu'à ce que je me déplace. Ces moments de vie étaient pour lui perdus, ce pays l'avait dépouillé de lui-même. Il n'avait pas eu le courage de ceux qui y réussissaient en travaillant vingt heures par jour.

Pays perdu, coin perdu, furoncle sur la lèvre d'un pays malade, la Cité de la Puissance Divine avait quand même permis à Frédo de trouver la paix. Il était trop maigre pour un homme de son âge, le ceinturon décapé qui retenait ses pantalons lui rentrait dans le ventre, dans les côtes, ses cheveux devenaient tout fins, et il perdait progressivement ceux de devant. En fait, Tonton avait l'air d'un oiseau, ceux qui avaient disparu du ciel de la Cité, impitoyablement chassés par des adolescents affamés qui les mangeaient ou les jetaient au milieu du chemin quand ils n'étaient pas comestibles. Il souriait quand je lui disais qu'il était trop maigre, comme pour me dire que moi aussi je l'étais.

Et puis, tout avait été pensé pour que rien ni personne ne puisse s'échapper. Pasteur Victor, son épouse Andrise et tant d'autres nous demandaient de nous occuper de nos âmes, non de nos corps. Ce maudit corps, personne ne pouvait l'emmener au royaume des cieux ! Et seul le Ciel valait la peine. Amen. Antienne qui marquait l'adhésion et plongeait dans l'oubli. Nous dormions d'un sommeil agité. Tant d'obstacles se dressaient entre nous et nos rêves, entre nous-mêmes et nous-mêmes !

Les chagrins d'amour qu'est-ce que j'en sais ? Sinon qu'ils vous enferment dans votre corps, dans votre tête, dans votre obsession, finissent par avoir raison de vous. Quand vous croyez vivre, vous poursuivez des ombres qui vous terrifient. Vous continuez, jusqu'à mourir d'une certaine mort. La mort est tellement multiple.

Fany était ensevelie dans le souvenir d'un bandit qui surclassait un pasteur exalté qui pourrait pourtant mettre son âme sur la table si elle le voulait bien ; Soline s'était trompée et n'avait que quelques vêtements démodés d'un homme pour envelopper son corps, envelopper ses souvenirs ; Cannibale 2.0 avait tué sa légende de chef impitoyable en cherchant Patience comme un fou, en exécutant Pierrot pour avoir laissé partir sa captive. Je ne savais pas à quel point Carlos tenait à moi, tout ce qu'il avait dit m'avait plus gênée qu'autre chose, je ne répondais plus à ses messages, ses invitations à venir vivre à Tabarre, les liens qu'il m'envoyait par WhatsApp pour écouter des chansons qui parlaient d'amour, de souffrance, de cœurs brisés, de réconciliation.

Il pleuvait, et le chagrin était poignant, d'incessants sanglots qui créaient encore des barrières entre les habitants de la Cité en gonflant les rigoles infectes, forçant à rester à l'intérieur des taudis.

J'étais couchée, j'avais des milliers «d'amis», enfermés dans mon téléphone, que je ne connaissais pas, qui m'insultaient ou me louaient, selon le jour. Leur existence réelle tenait au fait que la batterie de mon téléphone était chargée ou pas, à ce que je postais. Je préférais le bruit des gouttes de pluie qui tombaient du trou dans la tôle dans le pot en aluminium que j'avais mis en dessous de la gouttière pour récupérer l'eau et ne pas avoir à sécher le parquet en ciment gris. Le tactac régulier des gouttes dans la marmite me berçait. Je me suis endormie.

Jules César avait institué de nouvelles règles dans la Cité. Les attroupements étaient interdits. Cela, même s'il y avait un cadavre dans l'un des corridors. Il avait donné un numéro de téléphone à appeler. Des hommes venaient et partaient rapidement avec le corps. Il réglait également les problèmes de couple, les conflits entre voisins. Dans le premier cas, si la compagne ou l'épouse était de son goût, il planifiait des séances à part avec elle. La paix des ménages était importante pour l'équilibre de la Cité, disait-il, caché derrière ses lunettes de soleil qui ne le quittaient plus, même la nuit. Il avait interdit l'entrée de la Cité à la police, sauf aux policiers qui y résidaient, mais ils ne pouvaient porter l'uniforme qu'en dehors de la Cité.

Ceux qui avaient une quelconque activité économique devaient s'acquitter d'une redevance hebdomadaire en compensation de la protection qu'il leur accordait. Les membres des gangs étaient désormais munis de motos flambant neuves avec lesquelles ils circulaient dans les corridors, taxaient arbitrairement ceux qui tenaient de petits commerces. Je donnais ce que je pouvais. Pour moi et Tonton. Ils passaient souvent, sans respecter le délai d'une semaine. J'étais perçue comme une amie de Jules, cela devait servir, je pense. Le Chef se faisait un devoir de venir me saluer quand il patrouillait avec ses hommes. Il tapait très fort la porte en bois en criant mon nom. Je sortais le retrouver sur la galerie. Je ne voulais pas qu'il entre, il ne fallait pas qu'il y ait de confusion sur nos relations. Sa réputation d'homme à femmes était établie, même si avec mon physique de petite fille je n'avais pas vraiment d'intérêt sur le plan sexuel. Je ne savais pas comment le saluer ni quoi lui dire. Après le «*Sa k pase, sa k ap fèt?*» je me taisais. Je sentais le regard des uns et des autres sur nous. Mais personne n'avait le droit de regarder ou de prononcer une parole. Le corps long et mince de Jules occupait tout l'espace de la galerie, sa tête touchait presque le toit, j'étais écrasée par sa présence et me demandais comment je me souviendrais de lui quand il serait mort. Son revolver était bien visible dans un étui, sur sa hanche droite, il était propre, contrairement à beaucoup de ses hommes, dont celui préposé au transport de ses téléphones qui sonnaient toutes les quinze secondes. Il savait qu'il ne devait déranger le patron que pour les personnes très importantes, ceux qui aidaient à garder les ghettos dans la terreur.

Jules voulait savoir si j'allais toujours chez Morel, c'était en effet une conversation possible entre nous. Je n'allais plus chez Morel. Il m'apprit qu'il était très occupé, que c'était beaucoup de travail que de gérer la Cité de la Puissance Divine, surtout que ses prédécesseurs n'avaient rien foutu, il était surpris par le nombre de conflits qu'il devait arbitrer, les sanctions qu'il devait prendre, à l'encontre des hommes en particulier. À lui seul, il incarnait plusieurs institutions de la République.

J'avais déjà entendu ces discours dans la bouche de ses prédécesseurs. Il avait posé la main sur mon épaule comme le ferait un vieil ami. J'avais souri. Je l'avais appelé «Jules», il avait souri aussi. Cela devait faire longtemps qu'il ne s'était entendu interpeller que «*Chèf la!*» Ce devait être difficile pour un criminel qui ne voulait pas que l'on oublie qu'il avait eu une mère et qu'il l'aimait au-delà de la mort.

Je me rappelais le soir où Jules César avait pleuré, c'était cela peut-être le lien invisible qu'il sentait avec moi. Ces hommes qui le suivaient en souhaitant chaque minute le tuer pour prendre sa place, ces nantis, hommes d'État qu'il recevait dans le plus grand secret, il ne pouvait pas leur parler de sa mère, ni de son parcours. Ç'aurait été d'ailleurs indécent, malvenu, n'aurait aucun rapport avec la violence quotidienne qu'il faut pour inspirer la peur et rester en vie. Jules César ne savait pas ce que c'était l'amitié. Il était au bout de son parcours. Derrière tous les voiles, tous les faire semblant, il n'y avait que la mort. Il le savait. C'était pour cela aussi que sa position, au-delà des inconvénients, apportait une jouissance extrême. Le privilège d'avoir de l'argent. Celui que l'on soutire aux autres à titre d'impôt. Celui dont on déleste ceux qui empruntent la voie publique avec des marchandises. Celui provenant de chantages aux autorités d'un État faible jusqu'à la caricature. Celui que l'on exige des commerçants, des entrepreneurs pour avoir le droit de circuler, de travailler. Le privilège de profiter, d'abuser, d'humilier. Ces femmes que Jules recevait pour les décisions de paix et de justice et qui repartaient totalement défaites, plongées dans un grand trou noir qu'elles ne quitteraient plus, affaiblies dans le grand combat qu'elles menaient au quotidien pour vivre et faire vivre leurs enfants. Le Chef était forcément boulimique, se sustentait pour lui, les siens décédés de manques divers.

Victor désespérait de me persuader de fréquenter l'église. Il avait frappé à ma porte un vendredi matin, sa Bible sous le bras gauche. Je l'avais installé dans la chaise à bascule de Grand Ma. Je m'étais assise à côté de lui, sur une chaise en fer qui couinait. Il me parlait en regardant la maisonnette d'en face, celle qui lui cachait le corps et les yeux de Fany.

Victor était un concentré de ces vies, ces corps, ces âmes nées dans la défaite, qui se laissaient prendre sans rien dire. Il avait l'air épuisé. Il ne s'en plaignait pas, il réussissait sa mission, il était un homme respecté, un apôtre de Dieu, il faisait venir de divers coins des États-Unis des missionnaires blancs, compatissants avec des t-shirts sur lesquels étaient écrit «*Jesus loves Haiti*» ou «*Haiti is for Jesus*», qui pleuraient devant le dénuement des gens, mais comprenaient l'utilité de cette misère pour écouler les promesses de vie éternelle et meilleure dans le Royaume du Christ. Il était né ici lui aussi, mais il avait compris que la religion était un bon tremplin pour s'en sortir.

Victor était assailli par le doute, il avait mal physiquement, se tordait le poignet à se faire mal, son corps hélait Fany de toutes ses forces.

Il était marié à Andrise depuis seize ans, cette bonne chrétienne avait mis au monde cinq enfants, Jonas, Sarah, David, Esther, Ruth, nés obéissants et portant la promesse de Dieu. C'était ça le bonheur avant qu'il ne la voie, qu'elle ne le rappelle à son humanité. Fany avait apporté sans le savoir les remous du dehors. Le bon pasteur ne savait trop maintenant s'il perdait ou sauvait son âme en désirant tellement lui parler.

Victor était sobre en tout. Il n'avait pas envie d'effrayer Fany, ni de s'imposer. Il lui était reconnaissant peut-être de l'avoir ainsi déstabilisé, montré que l'homme était toujours un pas derrière ses désirs, incapable de vaincre sa nature. Andrise avait compris mais ne lui en avait sûrement pas parlé. Il n'avait rien fait après tout. Il avait juste été vidé de plusieurs de ses certitudes, ce qui l'affaiblissait. Fany ne venait plus au culte, Andrise était devenue triste, ses foulards avaient perdu de leur gaieté.

Victor me proposait d'utiliser mes comptes sur les réseaux sociaux pour faire venir plus de jeunes à l'église, c'était son fils, Jonas, qui lui avait dit que j'étais la seule personne habitant les cités environnantes à avoir tant de gens intéressés par les informations et photos que je postais. Je lui avais répondu que j'allais réfléchir. Il avait aimé ma réponse. Il reviendrait s'asseoir sur cette galerie en face de cette maison sur le perron duquel apparaîtra un jour, pendant qu'il était là, Fany. En attendant il y avait les plantes et Élise à qui rien n'échappait, ni l'amour, ni la tristesse, ni le désespoir.

Yvrose avait fermé sa boutique. Elle portait son veuvage comme une cocarde. La couleur noire et sa minceur, combinées, lui donnaient un air tragique. Ses cheveux avaient entièrement et miraculeusement blanchi, c'était désormais une vieille femme. Elle avait tenu le commerce jusqu'à ce qu'il n'y ait plus rien sur les étagères, à part la crasse des années. Des poussières de vie, de vieilles empreintes qui racontaient des jours de rire, d'inquiétude, la présence d'un mari, de deux fils qui habitaient l'autre moitié de l'île, pays voisin et tellement différent. J'avais au cours de ma vie beaucoup entendu d'histoires de racisme, de massacre concernant la République dominicaine.

Reviendraient-ils, ces garçons ? Eux-mêmes ne le savaient pas. Les voyageurs n'avaient ni désirs ni mot à dire. Tonton, lui, était revenu de son errance étatsunienne la tête et les yeux pleins de silence, le foie plein d'alcool. Yvrose allait à l'église, sollicitait de tous qu'ils prient pour le repos de l'âme de Fénelon. Avait-il seulement une âme ? Elle savait peut-être que certaines femmes le maudissaient, qu'il avait créé un grand désespoir en elles, de ceux dont on ne parle ni ne guérit. Oui, les âmes devaient avoir besoin de repos dans cette vie de tourment des corps, cherchant à faire ce qui pourtant devrait aller de soi : vivre ; des esprits ravagés par le désir et le besoin d'être autre chose que soi-même. C'est sans doute pour cela que les gens priaient autant. J'étais un peu gênée d'être encore saisie de tant d'écœurement en pensant à Fénelon. Beaucoup étaient comme lui dans la Cité, la misère rendait dingues femmes, hommes et bêtes.

Traîne nostalgie, traîne vide, Sœur Julienne disparaissait peu à peu, ensevelie sous les jours. Elle que l'on n'avait vue que de rares fois depuis la disparition de Freddy, la honte mélangée à l'amour maternel la consumait petit à petit, l'avaient transformée ; elle cachait son visage avec un chapeau en paille, et sa silhouette sèche était perdue dans des robes larges. Personne ne pouvait marcher plus vite que ses regrets ; ses doutes, ses douleurs, ses courses ne trompaient ni elle ni personne.

Le silence qu'impose la mort n'en est souvent pas un vrai. Il ne calme point. Freddy c'était du passé, même les inscriptions au spray rouge sur les murs pour lui dire adieu s'effaçaient ou étaient recouvertes par d'autres. Plusieurs chefs, entre-temps, étaient passés par là, avaient occupé ce trône branlant, arbitraire et tellement convoité.

Dans la confusion des vies et des messages, de trébuchement en trébuchement, Yvrose faisait partie d'une histoire sans retentissement, image qui tourne sans pouvoir s'imprimer dans l'esprit, une femme passée au travers de la vie, qui s'en allait sans comprendre, sans rien demander non plus.

Le rythme du cœur est aussi celui du marteau au toc-toc régulier. La vieille main de Nestor n'avait rien perdu de sa précision. Mille, deux mille, peut-être plus de ces coffrets en bois, ciselés, vernis avec tendresse, figent ces moments de regrets, de questionnements continus sur le passé, le présent et l'avenir. Maintenant que d'avenir il n'y en avait pas beaucoup, que de passé il ne restait rien. Il mourrait sûrement sans revoir Louisa qui n'avait toujours pas de papiers, prisonnière, peut-être heureuse, de l'extravagante Amérique. Il avait pu la voir sur l'écran du téléphone de Fatal, il en avait été ému aux larmes. Elle ressemblait tellement à sa mère, le même rire gras, joyeux qui lui faisait monter les larmes aux yeux. Elle avait beaucoup grossi, la nourriture ne devait pas manquer là où elle était. Il avait des sentiments mitigés vis-à-vis de ses deux petites filles, sept ans et quatre ans, il ne pouvait pas faire la conversation avec elles, en créole elles ne savaient dire que « *kòman ou ye papi, how are you grandpa* ». Il agitait alors la main droite, souriant discrètement pour qu'elles ne voient pas qu'il lui manquait les dents de devant. Louisa était pleine d'enthousiasme, elle promettait toujours d'envoyer plus d'argent à son vieux père, mais n'envoyait qu'une centaine de dollars, trois fois l'an. C'était difficile pour elle. À côté des cours qu'elle prenait l'après-midi pour devenir infirmière, elle travaillait pendant la journée dans un nursing home où elle torchait des petits vieux, et quatre soirs par semaine elle passait la nuit avec une vieille dame riche dont elle s'occupait. Elle était payée au salaire minimum, dormant sur une chaise, guettant sa respiration, lui donnant ses médicaments à des heures précises. Son mari – elle avait dit à Nestor qu'ils étaient mariés, mais il n'avait jamais vu les photos de la cérémonie et ne pouvait trop poser de questions pour ne pas contrarier Louisa – travaillait sur les chantiers pendant la journée et s'occupait des petites filles le reste du temps. Nestor ne l'aimait pas. Mais qu'est-ce que cela pouvait changer ? Il l'appelait « Père Nestor », et cela le contrariait profondément.

Il avait le sentiment qu'il mourrait sans pouvoir revoir sa fille. Petit Daniel était parti trop tôt. Il savait qu'il était perdu le jour où il avait appris qu'il était membre du gang de Gros Élie. Les gangsters ne vivaient pas très longtemps, ils atteignaient l'apogée de la jouissance avec leurs armes, l'argent qu'ils volaient, la façon dont ils disposaient de la vie des gens, mais c'était toujours bref. Daniel avait toujours été un bon garçon, trop attaché à sa mère, c'était sa mort d'ailleurs qui l'avait perturbé au point de le jeter dans les bras de ces criminels et de le devenir lui-même. Gros Élie lui avait fait apporter le cadavre à la Cité de la Puissance Divine. Il n'avait pas totalement fait le deuil de sa femme qu'il devait enterrer son fils, à la cloche de bois. Il avait été tué par la police. Il avait refusé l'argent du chef de gang pour l'enterrement, il avait refusé aussi qu'ils viennent chez lui, il était content de choisir pour le petit, pour une fois depuis des années. Depuis sa mort, il se réveillait tous les soirs au milieu de la nuit, se demandant ce qu'il avait raté et pourquoi ce n'était pas son fils qui était à la place de Fatal, en train de fabriquer ces objets bon marché qui lui avaient néanmoins permis de le nourrir lui et sa sœur.

Fatal était pour lui une bénédiction. Il était arrivé de Saint-Jean du Sud, sa ville natale. Il était le fils d'une cousine éloignée. Nestor lui avait proposé de le rejoindre à Port-au-Prince quand il l'avait rencontré lors des funérailles de sa cousine, sa mère, à l'église de Saint-Jean. C'était un jeune paysan, facile à vivre, travailleur, qui rendait volontiers service. Nestor avait eu très peur quand Cannibale 2.0 l'avait fait bastonner. Il avait soigné ses blessures et expliqué à Fatal que ceux qui fermaient leur gueule par ici pouvaient vivre aussi longtemps que lui. Il avait compris.

Le vieux Nestor et Fatal étaient à eux deux un petit orchestre. Ils battaient du marteau, du matin au soir, dans une belle harmonie derrière la maison. Et dire qu'on n'entendait pas leurs souffrances qui souvent montaient d'un cran plus haut que le vacarme qui les faisait vivre.

Il s'appelait Philippe, mais on l'avait depuis toujours appelé Pipo. Le sobriquet lui allait bien. Il était doux, il aimait les plantes, et Fany l'avait aimé au premier coup d'œil. Il semblait sorti directement d'un de ces romans-photos qu'elle lisait adolescente. Il avait connu beaucoup de femmes avant elle, il était père de quatre enfants, de quatre femmes différentes, qu'il voyait peu. Elles lui faisaient des misères, lui avait-il raconté. Elle le croyait. Elle croyait tout ce qu'il lui disait. Pipo lui avait juré que les femmes qui l'appelaient au téléphone pour l'insulter et lui demander de le laisser tranquille étaient toutes folles. C'était son homme à elle, et rien ne devait changer cela.

Les deux gangs rivaux partageaient Bethléem. Pas un jour ne passait sans qu'il n'y ait de morts. Pipo parlait des camarades partis, le regard fixé dans le vide, comme s'il sentait venir sa propre disparition. Il était un proche de Fanfan, son cousin, il ne devait pas être en première ligne, il n'aurait jamais dû mourir.

Ce soir-là, il n'était pas venu. C'était sûrement à cause des combats. Les tirs étaient nourris, c'était l'affrontement final. Un seul chef devait régner à Bethléem.

Fanfan Le Sauvage avait gagné. Franzy Petit Poignet avait fini lynché. Une trentaine de personnes avaient été tuées. Bandits des deux camps et autres victimes pour parfaire le décor, comme toujours. Pipo était mort, mais Fanfan célébrait quand même sa victoire et le début de son règne sans partage à Bethléem. Pipo s'était transformé en rumeur. Personne n'était venu dire à Fany que son amour avait succombé. Personne n'avait jugé bon de la consoler. Fanfan avait fait donner de l'argent aux mères de ses enfants. On ne reconnaissait pas son chagrin, elle était inaudible, même auprès d'Élise qui ne l'écoutait même pas quand elle parlait de son mariage prévu avec Pipo. Fany avait quitté Bethléem, ravagée par le chagrin, pour échapper aussi aux rires des gens parce que Pipo avait de nombreuses fiancées. Élise avait suivi sa sœur. Elle n'était rien sans Fany, depuis leur enfance. Élise était la dérangée, l'alcoolique, mais c'était elle qui tirait sa sœur de son sommeil quand celle-ci jouissait trop fort sous les assauts imaginaires de Pipo au milieu de la nuit.

Fany était belle. Trop belle pour Pipo pensait Élise. Mais ce qu'Élise pensait était mort-né, tout était effacé avant même qu'elle n'exprime quoi que ce soit, cela avait toujours été comme ça. Elle était contente de boire, de fumer, cachée derrière ces plantes qui ne guérissaient pas sa sœur. Parce qu'au fond elles n'étaient malades que d'elles-mêmes.

Livio et Soline étaient ma mémoire. Ils étaient proches de Grand Ma. Je ne savais rien de Livio. Il était pauvre parmi les pauvres de la Cité, il était lié au besoin d'eau, à la mort, à la joie aussi. Il dansait sur le bruit des projectiles, il savait qu'immanquablement cela lui donnerait l'occasion de raconter la Cité, le pays, tels qu'il les voyait. À part le maître actuel des lieux, il pouvait se répandre sur tout le monde, du chef de l'État au chef de la police en passant par les politiques. Il racontait un pays guetté par toutes les formes de disparition et une Afrique dont il avait hérité quelques bribes, des restes de chants d'une traversée trop longue, trop épuisante dont on ne guérit pas.

Livio n'avait peut-être jamais eu de rêves, rêve de départ comme Tonton, rêve de vie meilleure, de bien-être, comme Carlos, mais il portait un espoir, il disait une vérité que je captais au milieu de ses récits parfois troubles.

Tout peut se dissoudre. L'amitié. L'amour. Nous sommes des enfants de l'oubli. Je n'avais plus aucune nouvelle de Carlos. Je l'avais voulu ainsi. Il était au bout de ses efforts pour me convaincre de le suivre. Il ne faisait pas partie de cette liberté qui m'habitait, il avait trop essayé de se mettre entre moi et le dehors, personne ne pouvait m'empêcher de regarder, de toucher même cette violence qui giflait chacun de nous tous les matins. Certains jours, je me mettais à chercher dans la maisonnette, dans les corridors, des traces de Grand Ma, des choses qu'elle aurait regardées, des voix qui l'auraient fait sourire, mais tout changeait sans que je ne puisse influencer quoi que soit. L'étal de Félicienne avait disparu. Elle vivait désormais avec son fils aux États-Unis, pour des raisons de santé, disait-on; sa belle-fille vendait, à la même place, des vêtements de seconde main, qu'elle avait accrochés à l'aide de clous et de cintres sur toute la façade de la maison. J'avais un pincement, mais la vie c'était du sable mouvant par ici, il fallait saisir la brièveté des choses et s'en accommoder. Peut-être qu'à part Soline qui perdait un peu la tête, Tonton Frédo et moi, personne ne se souvenait de ma grand-mère. Maître Jean-Claude, en clignant des yeux derrière de grosses lunettes, quand il me croisait, me demandait, en français, de passer le bonjour à ma grand-mère, je lui répondais rapidement que je le ferais. Il avait oublié ou n'avait jamais su qu'elle était morte. Il figeait les gens dans leur première réalité, les y laissait, il faisait partie des nombreuses personnes qui ne voyaient et n'entendaient rien.

Passaient les jours, revenaient les nuits, recommençait la mort. Intraitable. Les cadavres en décomposition dans les lits des ravines, sur les terrains vagues, faisaient corps avec les immondices, témoins l'un et l'autre d'une époque déchiquetée afin qu'aucun souvenir ne subsiste. Aucun. Dodo, dans son délire, dans son alcool, disait que la vie c'était maintenant et aujourd'hui. Pour avoir vu passer chefs, sous-chefs, larbins, politiques, gens d'affaires par les corridors pourris menant chez les bandits, tous ces billets de banque destinés à corrompre avaient empoisonné tout le monde, surtout les pauvres comme lui et Lorette. Ceux qui avaient fini par ne plus avoir de besoin du tout, réfugiés dans l'alcool et la folie, espaces d'isolement, postes d'observation.

Jules César mourra bientôt. Il l'avait lui-même dit dans son intervention hier à la radio qui faisait le tour des médias sociaux, suscitant admiration et indignation. La police avait mis sa tête à prix, ils savaient tous où le trouver, mais personne ne pouvait venir le chercher.

Je continuais de poster des photos. J'avais besoin que le plus de gens possible aiment ma page, commentent les contenus qui s'y trouvaient. J'étais plus que jamais dans cette course pour exister. J'imposais aux autres ce que je voyais, entendais. Je recevais aussi des notes vocales, des images, des vidéos souvent de gens que je ne connaissais pas. Exister pour soi en dépit et au détriment de l'autre. Je considérais chaque personne qui sollicitait mon amitié, me suivait, «likait» ou simplement prenait la peine de lire ou de commenter, même négativement, une de mes publications comme faisant partie de mon butin, elle contribuait à garder mes comptes actifs, tendances, et Catherine Paris continuait à me payer, à me donner des produits et Jules César continuait de m'appeler pour me demander ce que je pensais, ce que les autres pensaient, une pointe d'inquiétude dans la voix. Il me considérait comme populaire, pensait que je pourrais être une cheffe très appréciée, me demandait d'intégrer le groupe.

Natacha n'était pas revenue depuis son accouchement, elle avait repris le commerce de sa mère, des produits pour se blanchir la peau, la vie de soldat ne lui avait laissé que des souvenirs de harcèlement sexuel, le soleil sur sa peau fragile, le fusil 12 à canon scié trop lourd, encombrant, comme ce hasard de la naissance à la Cité de la Puissance Divine, ce parcours chaotique, sans point d'arrivée, ces enfants qu'elle n'avait pas vraiment souhaités, auxquels elle ne pouvait pas expliquer pourquoi c'était ainsi, ce qui lui faisait crier de rage jusqu'à les taper de toutes ses forces, comme sa mère le faisait avec elle. Elle aurait voulu être jeune, Natacha. Rien que cela. Ne plus croiser dans ce miroir fissuré au milieu, carré, de sept par neuf pouces, entouré d'un plastique bleu, dans lequel elle regardait plusieurs fois par jour, cette femme si seule et si fatiguée qu'elle était.

Elle avait cru à un changement de vie, m'avait-elle expliqué la dernière fois que je l'avais croisée sur la grande rue, son nouveau-né dans les bras. Un peu de respect, de l'argent pour elle et pour ses enfants. Très vite, elle n'avait été préposée qu'à des tâches ingrates. Nourrir les gens kidnappés dont les rançons n'avaient pas encore été payées, être confrontée à leurs souffrances, leurs supplications. Ce bébé non voulu, comme les autres, lui avait permis de s'échapper. Le petit était enveloppé dans une serviette jaune et dormait paisiblement comme s'il savait qu'il devait faire provision de repos pour les tumultes à venir. Je n'avais pas osé demander à Natacha qui en était le père, cette question n'était guère importante dans la Cité, le bon Dieu était le papa de tous les enfants, il veillait sur leur bien-être, la conception n'était qu'un détail.

Jules César avait dit à la radio qu'il fallait sauver le peuple, qu'il savait comment procéder. Il avait introduit sa mort comme l'événement qui allait tout faire basculer. On ne s'appelle pas Jules César par hasard, disait-il en sortant son parcours. Il était passé par l'université, avait même eu une mère aimante que la misère, l'inorganisation, la marginalisation du peuple lui avaient enlevée.

Jules César sentait venir la mort, il était impitoyable avec les gens de la Cité. Il fallait qu'ils paient de plus en plus cher pour la soi-disant protection qu'il leur accordait. Sans lui ils n'étaient rien, disait-il, les autorités entreraient ici et feraient ce qu'elles voudraient, grâce à lui la Cité existait dans l'actualité, même étrangère, et cela avait son prix.

La voix de Jules faisait partie du bruit. Celui qui n'a même pas d'écho. Je recevais sur mon fil WhatsApp une dizaine de fois par jour des extraits de ses déclarations tapageuses, on le voyait derrière ses lunettes de soleil, illuminé, mais au fond très triste. Au moins, il portait cette nostalgie qui habite les désespérés, c'était même à cela qu'on les reconnaissait, ceux qui cassent, tuent et brûlent parce que l'avenir est flou.

Tonton Frédo était une ombre, et j'étais l'ombre de son ombre. J'avais fait un cliché de nous deux que j'avais mis comme image d'accueil sur mon portable. La photo était belle, mais nous étions ternes. Derrière nos visages osseux se cachaient mille bouleversements, mille histoires irracontables. Comme Natacha, je n'avais pas non plus l'air jeune. Ce que j'appelais la jeunesse c'était une forme de joie, de satisfaction d'être, le sentiment que la partie viable du monde passait par nos corps. Une fougue. Nous étions dans une tranquillité suspecte que ne contrariaient même plus les projectiles, les mauvaises nouvelles.

Tonton était revenu de sa course d'obstacles. Essoufflé. Je comprenais de plus en plus qu'il avait, lui également, rejeté ce pays étranger, désiré, cette Amérique qui n'avait pas voulu de lui, qui ne lui avait fait aucune place parce qu'il n'avait pas de papiers. De documents il n'en aura jamais et il pensait que c'était bien ainsi. Les cartes étaient dessinées pour que certains ne retrouvent jamais leur chemin dans le vaste monde. La photo s'animait quand je la regardais, elle avait tout capté. Le jour qui déclinait, les murs décapés des maisons. Je l'ai postée sur les réseaux sociaux. Dix, vingt, cent vingt personnes l'ont aimée. C'est vrai que l'on aime sans raison. Pour rien du tout.

DANS LA MÊME COLLECTION

Gouverneurs de la rosée, Jacques Roumain
Nègre blanc, Jean-Marc Pasquet
Trilogie tropicale, Raphaël Confiant
Brisants, Max Jeanne
Une aiguille nue, Nuruddin Farah
Mémoire errante (coédition avec Remue-Ménage), J.J. Dominique
Dessalines, Guy Poitry
Litanie pour le Nègre fondamental, Jean Bernabé
L'allée des soupirs, Raphaël Confiant
Je ne suis pas Jack Kérouac (coédition avec Fédérop), Jean-Paul Loubes
Saison de porcs, Gary Victor
Traversée de l'Amérique dans les yeux d'un papillon, Laure Morali
Les immortelles, Makenzy Orcel
Le reste du temps, Emmelie Prophète
L'amour au temps des mimosas, Nadia Ghalem
La dot de Sara (coédition avec Remue-Ménage), Marie-Célie Agnant
L'ombre de l'olivier, Yara El-Ghadban
Kuessipan, Naomi Fontaine
Cora Geffrard, Michel Soukar
Les latrines, Makenzy Orcel
Vers l'Ouest, Mahigan Lepage
Soro, Gary Victor
Les tiens, Claude-Andrée L'Espérance
L'invention de la tribu, Catherine-Lune Grayson
Détour par First Avenue, Myrtelle Devilmé
Éloge des ténèbres, Verly Dabel
Impasse Dignité, Emmelie Prophète
La prison des jours, Michel Soukar
Coulées, Mahigan Lepage

Maudite éducation, Gary Victor

Je ne savais pas que la vie serait si longue après la mort, dirigé par Gary Victor

Jeune fille vue de dos, Céline Nannini

L'amant du lac, Virginia Pésémapéo Bordeleau

La nuit de l'Imoko, Boubacar Boris Diop

Les chants incomplets, Miguel Duplan

La dernière nuit de Cincinnatus Leconte, Michel Soukar

Cures et châtiments, Gary Victor

Des vies cassées, H. Nigel Thomas (traduit par Alexie Doucet)

Le testament des solitudes, Emmelie Prophète

Première nuit : une anthologie du désir, collectif dirigé par Léonora Miano

La maison des épices, Nafissatou Dia Diouf

L'enfant hiver, Virginia Pésémapéo Bordeleau

Quartz, Joanne Rochette

Fuites mineures, Mahigan Lepage

Les brasseurs de la ville, Evains Wêche

Le vieux canapé bleu, Seymour Mayne

Volcaniques : une anthologie du plaisir, collectif dirigé par Léonora Miano

Le bout du monde est une fenêtre, Emmelie Prophète

Manhattan Blues, Jean-Claude Charles

Le parfum de Nour, Yara El-Ghadban

Le jour de l'émancipation, Wayne Grady (traduit par Caroline Lavoie)

Le petit caillou de la mémoire, Monique Durand

Bamboola Bamboche, Jean-Claude Charles

Nuit albinos, Gary Victor

Le bar des Amériques, Alfred Alexandre

De glace et d'ombre, H. Nigel Thomas (traduit par Christophe Bernard et Yara El-Ghadban)

Le testament de nos corps, Catherine-Lune Grayson

La femme tombée du ciel, Thomas King (traduit par Caroline Lavoie)

Sans capote ni kalachnikov, Blaise Ndala

Adel, l'apprenti migrateur, Salah El Khalfa Beddiari

Phototaxie, Olivia Tapiero

Écorchées vivantes, collectif dirigé par Martine Fidèle

Manikanetish, Naomi Fontaine

Sainte dérive des cochons, Jean-Claude Charles

160 rue Saint-Viateur Ouest, Magali Sauves

Masi, Gary Victor

Je suis Ariel Sharon, Yara El-Ghadban

Cartographie de l'amour décolonial, Leanne Betasamosake Simpson (traduit par Arianne Des Rochers et Natasha Kanapé Fontaine)

Le rossignol t'empêche de dormir, Steven Heighton (traduit par Caroline Lavoie)

Le chant de Corbeau, Lee Maracle (traduit par Joanie Demers)

Les enfants du printemps, Wallace Thurman (traduit par Daniel Grenier)

Ben Aïcha, Kebir Ammi

La balançoire de jasmin, Ahmad Danny Ramadan (traduit par Caroline Lavoie)

Jonny Appleseed, Joshua Whitehead (traduit par Arianne Des Rochers)

Débutants, Catherine Blondeau

Tireur embusqué, Jean-Pierre Gorkynian

On se perd toujours par accident, Leanne Betasamosake Simpson (traduit par Arianne Des Rochers et Natasha Kanapé Fontaine)

Boat-People, Sharon Bala (traduit par Véronique Lessard et Marc Charron)

Ayiti, Roxane Gay (traduit par Stanley Péan)

Balai de sorcière, Lawrence Scott (traduit par Christine Pagnoulle)

Laisse folie courir, Gerda Cadostin